# VERDADEIRO EVANGELHO

**Paul Washer**

# VERDADEIRO EVANGELHO

Redescobrindo a Mensagem Mais Importante da Escritura

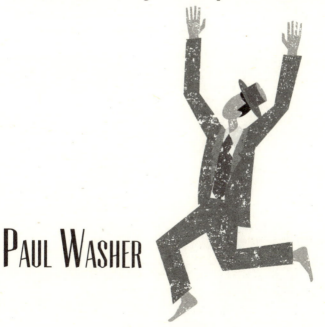

# Paul Washer

```
W315v    Washer, Paul, 1961-
         O verdadeiro evangelho : redescobrindo a mensagem
         mais importante da Escritura / Paul Washer ; editado por
         Yago Martins ; [tradução: Alan Cristie]. – 2. reimpr. – São
         José dos Campos, SP : Fiel, 2016.
         120 p.
         "Traduzido de um sermão de Paul Washer, proferido em
         30/09/2007, em Fellowship Baptist Church em Onaga, KS,
         USA."
         Bibliografia: [117]-120.
         ISBN 9788581320359
         1. Bíblia. N.T. Evangelhos - Meditações. 2. Vida cristã.
         I. Título. II. Martins, Yago.
                                                        CDD: 262.7
```

Catalogação na publicação: Mariana C. de Melo Pedrosa – CRB07/6477

---

**O Verdadeiro Evangelho**

Traduzido de um sermão de Paul Washer,
proferido em 30/09/2007, em Fellowship
Baptist Church em Onaga, KS, USA.
Copyright 2007 Paul Washer

■

Copyright 2012 Editora Fiel
1ª Edição em Português 2012

■

*Todos os direitos em língua portuguesa reservados
por Editora Fiel da Missão Evangélica Literária*

PROIBIDA A REPRODUÇÃO DESTE LIVRO POR
QUAISQUER MEIOS, SEM A PERMISSÃO ESCRITA
DOS EDITORES, SALVO EM BREVES CITAÇÕES,
COM INDICAÇÃO DA FONTE.

■

Diretor: Tiago J. Santos Filho
Editor: Tiago J. Santos Filho
Coordenação Editorial: Yago Martins
Tradução: Alan Cristie
Revisão: Vinícius Silva Pimentel
Diagramação: Vinícius Silva Pimentel
Capa: Daniel Gardner e Rubner Durais

ISBN impresso: 978-85-8132-035-9
ISBN e-book: 978-85-8132-102-8

Caixa Postal, 1601
CEP 12230-971
São José dos Campos-SP
PABX.: (12) 3919-9999
www.editorafiel.com.br

Parceria de:

www.voltemosaoevangelho.com.br

# Sumário

Prefácio ........................................................................... 7

Introdução ..................................................................... 13

1. A Extrema Pecaminosidade Humana............................. 21
2. Deus Odeia o Pecado e o Pecador ................................. 39
3. Completamente Justos..................................................... 53
4. O Maior Problema das Escrituras ................................... 65
5. Deus O Fez Pecado Por Nós............................................. 77

Conclusão: Ele é o Rei da Glória ..................................... 97

Apêndice 1: Um Modelo de Pregação do Evangelho............. 107

Apêndice 2: Biografia do Autor........................................ 115

Referências ................................................................... 117

# Prefácio

As pregações de Paul Washer são muito conhecidas pelo modo como paixão e verdade se combinam, redefinindo aquilo que cremos e transformando o modo como vivemos. Observar o quebrantamento deste pregador ao falar sobre as profundidades do conhecimento de Deus tem feito com que vários jovens (no Brasil e no mundo) abandonem vidas carnais, muitas vezes baseadas em um evangelho reduzido e falso, o qual é de todo insuficiente para salvar. Muitos de nós já fomos impactados pela *Pregação Chocante*, mensagem ministrada em uma conferência de jovens, em 2002, e que já possui mais de um milhão e meio de acessos – apenas em sua versão legendada em português. Outros de seus vídeos têm acertado em cheio os maiores ídolos do evangelicalismo brasileiro, alcançando centenas de milhares de crentes e incrédulos. Não podemos sequer tentar mensurar o número dos testemunhos de vidas sendo transformadas, igrejas sendo avivadas e perdidos sendo salvos.

O que nem todos sabem é que, fora do Brasil, o pastor Washer é muito mais conhecido por suas exposições em Romanos 3.23-28 do que por todas as suas outras pregações – ele próprio brinca, dizendo que é conhecido por causa de um único sermão. Se isso é verdade, não há como afirmar, todavia, muitos certamente concordarão com o que segue: as dezenas de gravações que possuímos com mensagens do irmão Paul ensinando a respeito do que ele mesmo chama de "as maiores palavras da Escritura" são os melhores sermões já pregados por Paul Washer. Quando publicamos uma dessas pregações no blog *Voltemos ao Evangelho*, não poucos testemunharam nunca terem ouvido mensagem tão poderosa.

Este livreto é resultado da união desses vários sermões em Romanos 3. Existem dezenas deles, em inglês e espanhol, e praticamente todos foram consultados, um por um. A estrutura principal foi retirada do vídeo *As Maiores Palavras da Escritura*, traduzido pelo *Voltemos ao*

# Prefácio

*Evangelho* e disponível no site. Ao texto daquela pregação foram adicionadas considerações que aparecem em outros vídeos e, por fim, tudo foi adaptado da linguagem falada para a escrita, a fim de melhorar a leitura, mas sem remover as características típicas de uma pregação.

Minha mais sincera oração é que Deus use este livreto para fazer no Brasil o mesmo que Ele tem feito no mundo. Que esta mensagem – a mesma que converteu várias almas, que transformou vários crentes e que avivou várias igrejas ao redor do planeta – possa ser um meio de transformação para os irmãos e irmãs de fala portuguesa. Nunca esqueçamos que o evangelho não é só o fundamento da nossa fé, mas o único meio pelo qual toda a vida cristã pode existir, pois, fora de Cristo, tudo não passa do mais completo absurdo.

*Yago Martins*
*Blog Voltemos ao Evangelho*

*"Pois todos pecaram e carecem da glória de Deus, sendo justificados gratuitamente, por sua graça, mediante a redenção que há em Cristo Jesus, a quem Deus propôs, no seu sangue, como propiciação, mediante a fé, para manifestar a sua justiça, por ter Deus, na sua tolerância, deixado impunes os pecados anteriormente cometidos; tendo em vista a manifestação da sua justiça no tempo presente, para ele mesmo ser justo e o justificador daquele que tem fé em Jesus. Onde, pois, a jactância? Foi de todo excluída. Por que lei? Das obras? Não; pelo contrário, pela lei da fé. Concluímos, pois, que o homem é justificado pela fé, independentemente das obras da lei."*

*Romanos 3.23-28*

# Introdução

Nós temos diante de nós o que, ao longo da história da igreja, muitos eruditos e pregadores (como Martyn Lloyd-Jones e Charles Spurgeon) disseram ser "a acrópole da fé cristã", "a cidade fortificada do Cristianismo" e "a grande estrela brilhante das Escrituras". Eu já ouvi homens muito piedosos dizerem que, se eles perdessem a Bíblia inteira e pudessem guardar somente uma passagem, essa seria a que eles guardariam, pois, nesses versos, encontra-se a verdadeira salvação dos homens, o verdadeiro evangelho de Jesus. Há palavras aqui que, possivelmente, são as palavras mais importantes em toda a Escritura, e nós não podemos entender o evangelho de

Jesus Cristo sem entendermos algumas dessas palavras que são ditas neste pequeno texto.

> *Alguém descreveu este texto (Rm 3.25-26) como a "acrópole da fé cristã". Nós podemos estar certos de que não há nada que a mente humana possa jamais considerar que seja, em qualquer sentido, tão importante quanto estes dois versículos. A história da Igreja demonstra muito claramente que eles têm sido o meio usado por Deus Espírito Santo para trazer muitas almas das trevas para a luz, e para dar a muitos pobres pecadores o seu primeiro conhecimento da salvação e a sua primeira segurança quanto à salvação.*[1]

A questão é: se você não entender a glória de Deus que é manifesta no evangelho, como então você viverá? Em nossos dias, existem tantos indivíduos que nós chamamos de "endurecidos ao evangelho", os quais, na verdade, são ignorantes – e não duros – em relação ao evangelho. Existem tantos outros que são realmente nascidos

---

1 LLOYD-JONES, David Martyn. *Romans*: An exposition of chapters 3.20-4.25 - Atonement and justification. Edinbug: Banner of Truth Trust, 1998, p. 95.

de novo e que estão em busca de motivação, razão, zelo e força na vida cristã, mas não entendem que toda a força da qual eles precisam se encontra somente na verdade do evangelho. Não existe nada mais profundo e mais valioso do que as boas novas consumadas por Jesus Cristo naquela cruz. Se entendermos bem essa verdade, teremos todo o fogo de que precisamos ardendo em nosso coração, e não precisaremos mais de falsa empolgação, emocionalismo vazio ou entretenimento barato.

Precisamos entender algumas coisas sobre nossa *missão* nesta terra. Fazer missões não significa enviar missionários, tampouco criar organizações; fazer missões significa comunicar a verdade de Deus aos homens. Você pode enviar todos os crentes de seu país como missionários, todavia, se eles não estão comunicando a verdade do evangelho, isso não passa de tolice carnal.

Além disso, precisamos entender que vivemos em dias nos quais o evangelho não está muito claro em nossas mentes. Um grande pecado de nossa era é o que chamaríamos de "reducionismo do evangelho". Muitos pensam conhecer o conteúdo das boas-novas de Cristo, mas não percebem que o evangelho na América de hoje foi reduzido a "quatro leis espirituais" e a "cinco coisas que Deus quer que você saiba". O evangelho é tratado como uma pequena verdade, um assunto útil apenas para a classe dos novos convertidos; algo que você aprende em cinco minutos, faz uma oração e, logo em seguida, avança para coisas maiores.

Nós tomamos o glorioso evangelho do nosso bendito Deus e o transformamos em pequenas perguntinhas vagas, como "Você sabe que é pecador?" ou "Você quer aceitar Jesus como seu único Salvador?". E, se alguém responde afirmativamente a essas questões, nós *papalmente* as declaramos salvas após repetirem uma oração conosco. Nós ouvimos incontáveis histórias de evangelistas indo para o exterior e pregando para dezenas de milhares de pessoas, gerando milhares de convertidos. No entanto, assim que o missionário as procura, ele não encontra uma sequer frequentando a igreja. Nós vivemos em uma era de superficialidade, em uma era na qual se faz muito barulho; no entanto, o que tem sido realmente conquistado?

Espero que ninguém fique ofendido com isto, mas há muitos anos eu comecei a compreender como nós somos um povo estúpido. Há alguns anos, um amigo da Colúmbia Britânica[2] me enviou um livro sobre lógica. Eu

---
2 Uma das províncias do Canadá.

precisei ler o primeiro capítulo cerca de três vezes para compreender bem o que estava sendo dito, e concluí que aquilo se tratava da mais alta expressão da lógica que eu já havia lido. Era muito complicado, mais complicado do que qualquer coisa que eu havia lido na universidade. Porém, ao fechar o livro, notei que na frente dele havia um desenho rabiscado de tinta, e, ao olhá-lo melhor, observei – para minha surpresa – que no desenho havia algo semelhante a crianças de oito ou nove anos de idade, em pé diante de um professor, sendo questionadas. Então eu percebi que aquele livro de lógica, escrito por um antigo puritano, era na verdade o básico para crianças da escola primária. Sendo assim, uma das coisas que eu quero encorajá-lo a fazer é isto: na sua leitura das Escrituras e em sua busca por conhecer mais a respeito de Cristo, não se dê tanto à literatura contemporânea, mas retroceda na história e descubra algumas das maiores coisas já escritas.

Eu diria a você que a nossa maior necessidade é redescobrir o evangelho de Jesus Cristo e proclamá-lo. Eu sempre digo isto, especialmente a jovens missionários com os quais tenho lidado: tudo de que eu preciso é um homem simples o suficiente para andar no meio de uma praça com uma Bíblia aberta, pregando o evangelho de

Jesus Cristo, até que alguém saia convertido ou ele saia deitado numa maca. Nós precisamos de pregadores! Precisamos de homens e mulheres que creiam que essa tarefa é tão grandiosa que nem todas as estratégias do mundo, à parte do evangelho, podem fazer uma única alma ser convertida. Há um poder de Deus para a salvação, e esse poder é o evangelho de Jesus Cristo (Rm 1.16). É por isso que eu gostaria de tomar um tempo para meditarmos sobre esse assunto.

Sei que alguém logo reivindicará, dizendo: "Mas, irmão Paul, nós entendemos o evangelho!". Ó meu caro, preste bastante atenção ao que tenho para lhe dizer. Há muito para se estudar hoje a respeito da segunda vinda de Jesus Cristo e da correta interpretação do livro de Apocalipse. Porém, eu posso lhe assegurar que você entenderá tudo a respeito do livro de Apocalipse e tudo a respeito da segunda vinda de Cristo no dia em que tudo aquilo acontecer. Mas eu também posso lhe assegurar que você gastará uma eternidade de eternidades nos céus e ainda não compreenderá o evangelho de Jesus Cristo totalmente. Isso não é uma matéria básica do Cristianismo, da qual nos livramos em cinco minutos de aconselhamento e depois partimos para coisas mais grandiosas. Não há nada mais grandioso na vida cristã do que

# Introdução

o evangelho. Nunca haverá nada mais grandioso do que o evangelho. E não há poder para salvar à parte da clara proclamação do evangelho.

Muitos acham que o evangelho é algo apenas para o homem perdido, para aquele que não ouviu sobre Jesus, mas não pense que para por aí. A maior motivação, a única verdadeira motivação na vida cristã, é o que Deus fez por nós na pessoa e obra de Jesus Cristo. Sempre que estou em conferências sobre missões, eu fico extremamente exultante ao ouvir os testemunhos e os cânticos, de tal modo que meu desejo imediato sempre é comprar uma passagem de avião e ir a algum lugar a fim de pregar o evangelho onde ele ainda não tenha sido pregado. Todavia, eu descobri que até mesmo o fogo que é levantado através de conferências de missões rapidamente morre. Eu sempre me perguntava se haveria um medicamento mais forte, algo que manteria um homem no campo, algo que faria uma mulher permanecer quando tudo dentro deles está gritando. E eu percebi que para tanto é necessário mais do que uma conferência, um livro ou alguns cânticos; nós precisamos da revelação da glória de Deus na face de Jesus Cristo. Tudo aquilo que somos e tudo aquilo que fazemos deve ser motivado por esta única coisa: o evangelho Daquele que derramou o Seu próprio sangue por nossa alma. O cristão vive entre dois dias: o dia em que Cristo foi pendurando diante dos homens e o dia em que todos os homens irão se ajoelhar perante Cristo. Isso é que é motivação!

Agora, olhemos para esse nosso pequeno, reduzido e falso evangelho e comparemo-lo ao evangelho que é revelado na Palavra – é isso o que iremos fazer ao estudar este glorioso texto de Romanos 3. Vamos observar esta passagem, linha por linha, e buscar descobrir, pela graça de Deus, o que está sendo pregado nela, a fim de crescermos na graça e no conhecimento de nosso Senhor Jesus Cristo, para o bem do destino eterno de nossa alma.

*Capítulo 1*
# A Extrema Pecaminosidade Humana

A primeira coisa que Paulo diz é: "pois todos pecaram". A palavra "pecado" significa, literalmente, "errar o alvo". No caso do ser humano, nós não apenas erramos o centro do alvo, mas falhamos em acertar qualquer parte dele. Nós erramos o alvo por completo, quer seja em obedecer à lei de Deus, em permanecer na vontade de Deus ou em glorificar o nome de Deus. Ora, uma vez que somos nascidos de novo, ao ouvirmos "Todos pecaram!", nós deveríamos cair de nossas cadeiras em adoração a Deus, agradecendo por tão grande salvação, pois Ele nos livrou de algo terrível! Porém, aqueles que tratam o evangelho como algo comum ou que criaram para si outro evangelho, deveriam prostrar suas faces em temor, sabendo que, se Deus não se mover em favor deles, eles estarão em pecado diante Daquele que é triplamente santo – e essa é a situação mais terrível que se pode imaginar.

Quando você ouve uma coisa repetidas vezes, geralmente ela se torna tão comum que perde seu poder. Eu me recordo da primeira vez em que eu cruzei a cordilheira dos Andes, junto com um grupo de missionários. Eu não conseguia entender porque o missionário veterano estava dormindo no meio de toda aquela beleza majestosa. Então, anos mais tarde, quando eu levei um grupo de jovens para atravessar a mesma montanha, eu me encontrei roncando. Com efeito, quanto mais você ouve algo e quanto mais você vê ou lê algo, esse algo perde um pouco de sua majestade.

"Todos pecaram". Por que não tremCEMos diante disso? É porque não sabemos como essa é uma realidade terrível. Nós não temos consciência do quanto temos pecado, do mesmo modo como um peixe não sabe o quanto está molhado. Nós nascemos no pecado, nós fomos concebidos no pecado, nós nascemos num mundo caído em pecado e a única coisa que nós conhecemos é o pecado. As Escrituras dizem que a nossa sociedade bebe iniquidade como se fosse água.

Além disso, nós também vivemos num mundo repleto de ignorância. Nós não temos conhecimento de Deus, não sabemos quem Deus é e O tratamos como se Ele fosse um tipo de Papai Noel ou como um vovô bobinho. Nós não entendemos que Ele é o Senhor dos senhores e o Rei dos reis.

Ao considerarmos o livro de Romanos, nós vemos o apóstolo Paulo nos apresentando a coisa mais próxima que temos de uma teologia sistemática. Ainda assim, ele toma os seus três primeiros capítulos e trabalha com toda a sua força tendo um único objetivo: fazer os homens desistirem de qualquer esperança carnal, fechá-los dentro de uma cova, trancar as portas, remover de suas mentes qualquer alívio na carne, a fim de que eles clamem a Deus por misericórdia. Quando nós vamos pregar o evangelho em um campo missionário, precisamos perceber que todo o nosso trabalho é uma absoluta catástrofe – e que experimentaremos fracasso atrás de fracasso, à parte do poder de Deus para ressuscitar homens mortos e odiadores de Deus. Nós precisamos, em nossa pregação, convencer os homens, através das Escrituras, com toda a nossa força, de que todos pecaram.

Muitos dos pregadores famosos atualmente estão ganhando tanta popularidade porque fazem de seu propósito *não* falar sobre o pecado. Porém, ao agirem dessa forma, eles vão contra a obra do nosso Senhor, que constantemente pregava sobre o pecado. Eles vão contra a obra dos apóstolos, que trabalharam com toda a sua força intelectual, movidos pelo Espírito Santo, para revelar o pecado do homem. E, principalmente, eu posso lhe assegurar que um pregador ou missionário que não fala sobre o pecado não tem a obra do Espírito Santo em sua vida – porque uma das grandes tarefas do Espírito Santo é convencer os homens do pecado, da justiça e do juízo (Jo 16.8). Quando você não crê nisso, você está trabalhando contra o Espírito Santo.

Muitos questionam a Deus o porquê de o inferno ter duração infinita, se nós temos uma vida limitada de pecados. A principal razão disso é esta: cada pecado que você comete é cometido contra um Deus infinitamente digno e bom, logo, o seu pecado é de gravidade infinita. O problema é que nós nos esquecemos de que o pecado ainda é pecado! Veja a maneira como falamos sobre ofender ao Senhor: nós falamos de pecados contra os homens, de pecados contra nós mesmos, de pecado até mesmo contra a natureza, os animais e as árvores; entretanto, ninguém se dá conta de que todo pecado, no final das contas, é cometido contra Deus. Davi pecou contra seu povo ao não representá-lo bem como rei; Davi pecou contra Bate-Seba ao adulterar com ela; e Davi pecou contra Urias ao mandar matá-lo. Porém, no final, ele disse a Deus: "Pequei contra ti, contra ti somente" (Sl 51.4).

Por que o pecado é algo tão terrível? É porque ele é cometido contra Deus! Como podemos não tremer diante disso? É porque não compreendemos o que isso significa! E por que não compreendemos o que isso significa? É porque não sabemos quão glorioso e bendito Deus é! É uma coisa terrível quando percebemos contra Quem nós pecamos. Como os puritanos costumavam dizer, nós não pecamos contra um pequeno líder de uma simples cidade, mas contra o Rei da Glória, Aquele que está assentado no mais alto e sublime trono.

Imagine isto por um momento: Deus está no dia da criação, dizendo aos planetas que se coloquem em determinada órbita no espaço, e todos eles se curvam, dizem "Amém!" e Lhe obedecem. Ele diz às estrelas que ocupem seus lugares no céu e sigam à risca o Seu decreto, e elas todas se curvam e Lhe obedecem. Ele diz às montanhas que se ergam e aos vales que se afundem, e eles se curvam e O adoram. Ele diz ao bravo mar: "Você virá até este ponto e daqui não passará", e o mar O adora. Porém, quando Deus lhe diz "Venha!", você diz "Não!".

Você percebe o quão perverso é o nosso pecado?

Ora, se fossem apenas atos, nossa condição já seria terrível o suficiente. Todavia, o pecado vai mais fundo no coração do homem. O ser humano não simplesmente comete pecados; ele é *nascido* no pecado. Nós somos podres e corrompidos desde o início.

> *Viu o SENHOR que a maldade do homem se havia multiplicado na terra e que era continuamente mau todo desígnio do seu coração (Gn 6.5)*

"Era continuamente mau". Eu simplesmente li esse texto ao pregar em uma universidade e um jovem repórter veio a mim, dizendo: "Eu não concordo com a sua interpretação". Eu lhe respondi: "Jovem, eu não interpretei o texto, eu apenas o li". Ainda assim, ele disse: "Bom, eu não concordo" e eu respondi: "Jovem, deixe-me dizer-lhe algo: se eu pudesse expor, agora mesmo, o seu coração e cada pensamento que você já teve, desde o seu primeiro levantar até este exato momento – não os seus feitos, mas somente os seus pensamentos – e pudesse colocá-los num vídeo e os exibir aqui neste auditório, você fugiria deste campus e nunca mais mostraria sua face aqui de novo, porque você tem pensado coisas tão doentias e tão pervertidas que não poderia compartilhá-las sequer com seu amigo mais próximo. Na verdade, se seu amigo mais próximo conhecesse alguns dos pensamentos que você teve a respeito dele, ele não seria mais seu amigo. E o motivo pelo qual eu tenho certeza disto não é porque sou um profeta, mas porque isso é o que a Escritura diz – e porque eu também sou um homem como você".

Eu posso dizer a mesma coisa sobre cada ser humano do planeta. Todos nós gastaríamos toda a nossa energia para esconder o que se passou pela nossa mente apenas na última hora. Não me diga que a Palavra não está certa quando ela fala sobre todos os homens terem pecado, porque todos os homens são, de fato, pecadores.

> *E o SENHOR aspirou o suave cheiro e disse consigo mesmo: Não tornarei a amaldiçoar a terra por causa do homem, porque é mau o desígnio íntimo do homem desde a sua mocidade (Gn 8.21)*

Isso pode significar maldade desde a infância, maldade desde bebê. Deixe-me compartilhar algo que um funcionário de penitenciária disse muito tempo atrás, a respeito da natureza humana. Imagine por um momento um bebê de dezoito meses que você está segurando em seus braços. Então, esse bebê vê um relógio brilhante em seu pulso e tenta pegar o seu relógio. Você afasta a mão dele e diz "Não!". Ele começa a chorar e a se mexer em seus braços, e então se estica até o relógio novamente. Você afasta a mão dele e diz "Não!". Ele começa a gritar e chorar, e então se estica de novo, e você diz "Não!". Ele começa a jogar os braços, até mesmo na direção do seu rosto. Ora, eu lhe digo que a natureza humana é de tal forma que, se esse bebê de dezoito meses tivesse a força de um homem de dezoito anos, ele o espancaria ali onde estava você, papai, arrancaria o relógio do seu braço e passaria pelo seu corpo ensanguentado em direção à porta, sem sentir nenhum remorso.

Eis algo aqui que precisamos entender: Hitler não foi uma anomalia. Hitler não foi um fenômeno extraordinário; Hitler foi o que cada frequentador dos cultos dominicais tem o potencial de ser. E não somente isso! Mesmo em toda a sua maldade, Hitler ainda era restringido pela graça comum de Deus. E precisamos reconhecer isto: quando não éramos convertidos, se não fosse pela graça comum de Deus nos restringindo, nós faríamos com que Hitler parecesse um coroinha.

Nós não entendemos o que a Palavra ensina sobre a extrema maldade dos homens. E se você disser: "Eu não concordo!", isso é porque você aprendeu o suficiente para estar no Cristianismo, mas não para crer na Bíblia. O testemunho das Escrituras contra você e todos os homens é este: nós nascemos com a maldade, nós somos maus. Acaso você precisa ensinar uma criança a mentir? Você precisa ensinar uma criança a ser egocêntrica? Você precisa ensinar uma criança a ser egoísta? Você precisa ensinar uma criança a ser bruta com outras crianças? Elas aprendem isso por si mesmas. Deixe-as livres, deixe de discipliná-las e veja o que terá em dez anos: um verdadeiro monstro! Por quê? Porque o que a Palavra diz é verdade: "Eu nasci na iniquidade, e em pecado me concebeu minha mãe" (Sl 51.5). E quantos de nós não tapamos os ouvidos, dizendo: "Eu não quero escutar isso! Não quero escutar isso!", da mesma maneira que uma pessoa morrendo de câncer permanece em negação, recusando qualquer tratamento?

A primeira coisa que devemos abraçar é que todos os homens nascem em pecado e entregues ao pecado, e esse é o motivo de todos os homens nascerem odiando a Deus. Alguém pode retrucar que nunca odiou a Deus, mas ele não percebe que, se isso fosse verdade, a Bíblia estaria mentindo para nós. Absolutamente todo homem odiou a Deus em seu estado não convertido, porque a Escritura declara que "outrora, éreis... inimigos" (Cl 1.21) e que "éramos, por natureza, filhos da ira" (Ef 2.3). Outro pode contestar, alegando que ama a Deus desde pequeno. No entanto, o que amávamos era uma imagem de Deus criada por nossa própria mente; e era isso que amávamos, de tal modo que, se alguém nos apontasse o Deus da Palavra, nós rapidamente ficaríamos irados, dizendo: "Eu nunca poderia amar um Deus como esse!". Já perdi as contas de quantas vezes alguns bons membros de igreja me disseram que amaram a Deus por toda a vida e, depois de eu sentar com eles apenas por trinta minutos para expor na Palavra algumas crenças cristãs históricas sobre Deus, eles diziam, assustados: "Esse não é o meu Deus!", e eu tinha que responder: "Claro que não, mas é o Deus da Palavra".

O profeta Isaías usa palavras aterradoras ao falar da condição do homem: "Mas todos nós somos como o imundo, e todas as nossas justiças, como trapo da imundícia; todos nós murchamos como a folha, e as nossas iniquidades, como um vento, nos arrebatam" (Is 64.6).

Anos atrás, eu ajudei a edificar uma igreja em San Pablo, perto da fronteira na Amazônia Colombiana, e era uma colônia de leprosos. Você já viu alguma vez um leproso? Já sentiu o cheiro de um leproso? Se um leproso do pior tipo tentasse ir à sua igreja, você sentiria seu cheiro antes mesmo de ele sair do estacionamento. Ele seria uma massa de carne podre, fluido corporal, pus e sangue. Quando Isaías diz que "todos nós somos como o imundo", é possivelmente a isso que ele se refere.

Vamos supor que existem irmãs muito finas em sua igreja, e elas pensem que precisam fazer algo a respeito daquele leproso. Então elas vão à loja mais fina e compram algumas das mais finas sedas que encontram. Depois de enrolarem o leproso da cabeça aos pés, elas dizem: "Bravo! Olhe o que fizemos! Salvamos o dia! Nós o fizemos apresentável". Mas aquela seda somente repousa naquela carne por poucos segundos e a corrupção daquele homem começa a sangrar através daquela seda fina, tornando-a tão corrupta quanto o próprio homem. Eis o porquê de nossas melhores obras serem como trapos imundos diante de Deus. O fato de sermos pecadores não significa apenas que pecamos constantemente, mas que não fazemos nada além de pecar. Tudo o que fazemos é pecaminoso diante de Deus. Nós corrompemos até as nossas boas obras, de modo que, Segundo Salomão, até mesmo "a lavoura dos ímpios [é] pecado" (Pv 21.4, ACR), porque tais obras não são feitas por fé (Rm 14.23) nem para a glória de Deus (1Co 10.31).

Muito da psicologia moderna fala a respeito de se sentir bem com quem você é. Entretanto, não é isso que eu quero; eu quero que você seja *salvo* de quem você é e do que você tem feito. Todos nós, antes da conversão, tínhamos um coração de pedra, um coração odiador de Deus, um coração maligno, nascido no pecado e dado ao pecado. Esse é o testemunho da Palavra! Os homens antigos ouviam isso ser pregado constantemente, mas parece que as novas gerações não podem suportar a verdade; antes, preferem ser enganadas e pensar bem de si mesmas. Contudo, um homem que não aceita a sua própria doença não pode ser curado. Um homem que não tem todas as suas esperanças moídas a respeito de seus próprios méritos, valor e justiça pessoal não pode voltar-se para Cristo. Nós precisamos entender que estamos destituídos de qualquer valor e que há somente um Salvador – e Seu nome é Jesus.

O problema é que, hoje em dia, é tudo sobre o ego. Os homens são cheios de ego! Precisamos entender que os homens não necessitam de mais autoestima; de fato, eles precisam perceber que esse é exatamente o seu maior problema. Eles precisam, na verdade, estimar o Único que é digno de estima, Deus, e entregar-se a Ele. No entanto, para viverem, crerem e pregarem dessa forma, os homens devem saber quem Deus é.

Paulo expressa nossa extrema pecaminosidade de modo eloquente na carta aos Romanos: "Não há justo, nem um sequer" (Rm 3.10). A palavra "justo" é sinônimo de "reto", referindo-se a um padrão. Para ser justo, você tem que estar perfeitamente alinhado a certo modelo, e, se você não está moldado àquele padrão de retidão, você está distorcido. Em outras palavras, você está pervertido. O padrão é a natureza de Deus e a lei de Deus. O problema é que a Bíblia diz que ninguém, absolutamente ninguém, pôde jamais se conformar ao padrão da santa natureza de Deus e ao padrão da santa lei de Deus. Todos nós nos tornamos distorcidos e deslocados. Paulo continua, dizendo que "não há quem entenda, não há quem busque a Deus" (3.11). Se você alguma vez realmente buscou a Deus, é apenas porque Ele o buscou primeiro.

O texto prossegue deixando clara a nossa maldade: "todos se extraviaram, à uma se fizeram inúteis; não há quem faça o bem, não há nem um sequer" (Rm 3.12). Quantas pessoas, mesmo aquelas que se colocam na esfera do Cristianismo, dizem que irão para o céu porque não são tão más? Elas dizem que irão para céu porque são boas, mas qual é o testemunho das Escrituras? Não existe alguém bom, nem um sequer, absolutamente nenhum. Todos pecaram!

Você me diz: "Irmão Paul, mas eu não pequei tanto!". Todavia, quanto você tem que pecar? Adão precisou pecar somente uma vez, e o universo inteiro foi lançado num caos moral e posto sob julgamento. Você já pecou mais vezes do que se pode contar em uma calculadora. Se Adão e Eva, e até mesmo a criação, não conseguiram escapar da condenação por um único pecado, como você irá escapar de todos os pecados que estão sobre a sua cabeça? Mas talvez você me diga: "Ah! Mas eu estou muito bem, se comparado com as outras pessoas!". Todavia, você não será julgado por padrões humanos; você será julgado por um Deus justo e santo. Algumas pessoas dizem: "Não me julgue! Você não sabe o que está no meu coração". Essa é uma frase tola, porque elas ficariam envergonhadas se soubéssemos o que está no seu coração. Saiba que Deus de fato tem visto o seu coração – e Ele conhece toda a podridão que está lá. Se nós escondemos nossos corações de todo o mundo, por que o usaríamos como desculpa diante de Deus? As pessoas dizem que nós não as conhecemos realmente, mas nunca nos deixariam vê-las sozinhas, no secreto. Todos nós somos julgados pela acusação de nossa consciência.

"Todos pecaram e carecem da glória de Deus" (Rm 3.23). É muito comum tomarmos esse versículo e torná-lo tão humanista! O que significa "carecem da glória de Deus"? Alguns dirão que Deus tem um maravilhoso plano para todos nós e Ele investiu tanto para nos ver cheios de glória, mas, apesar desse grande plano, nenhum de nós o alcançou. Eu não acredito que esse seja o sentido primário deste texto. Quando Paulo diz que "nós carecemos da glória de Deus", eu penso que essa frase deveria ser interpretada no contexto do primeiro capítulo de Romanos, no qual está escrito: "porquanto, tendo conhecimento de Deus, não o glorificaram como Deus, nem lhe deram graças" (Rm 1.21).

Vamos pensar nisso por um instante. Por quem você foi criado? Por Deus. Entretanto, não apenas você foi criado por Deus, mas todas as suas faculdades, a sua própria existência é sustentada por Ele. Você deve cada respirar e cada batida do seu coração a Deus. Aliás, sua respiração é dada apenas para retornar em adoração; e seu coração bate somente para servi-Lo. Ainda assim, observe o testemunho deste texto contra nós: nossa mente e nossas vidas são repletas de busca por nossos propósitos, nossos sonhos, nossos objetivos e nossos desejos. Mesmo aqueles que alegam algum tipo de piedade precisam assumir que, em suas vidas diárias, são ateístas praticantes. Deus está longe dos seus pensamentos. Quando estão trabalhando, quando estão nas fábricas, quando estão no campo, quando estão em casa, Deus é o centro de seus pensamentos? Tudo o que eles estão pensando e tudo que estão fazendo, estão fazendo para a glória de Deus? Então você me diz: "Irmão Paul, ninguém é desse jeito!". É justamente aí que quero chegar! "Todos pecaram, todos carecem da glória de Deus".

Por que os homens são tão vazios, tão miseráveis e tão sem propósito? Não é incrível que os cristãos na América sejam os mais saudáveis e mais protegidos cristãos que já existiram na história, e, ainda assim, 85% do que se vende nas livrarias "cristãs" dizem respeito a quão vazios nós somos?

Você quer saber por que somos vazios? Primeiramente, a grande maioria daqueles que se chamam cristãos não é convertida de verdade. Em segundo lugar, até mesmo aqueles que são cristãos estão vazios porque não têm comido do melhor alimento. Jesus disse: "Uma comida tenho para comer, que vós não conheceis... A minha comida consiste em fazer a vontade daquele que me enviou e realizar a sua obra" (Jo 4.32,34). Nossa comida tem sido ganhar terras neste planeta, sucesso, conforto, fama, lazer, juventude e beleza. Sempre nós, nós, eu, eu. E, quanto mais temos de "nós", mais vazios somos, porque fomos feitos para outra coisa – melhor dizendo, fomos feitos para outra Pessoa. O resumo de tudo é que nós nos tornamos distorcidos e deslocados. Não apenas pecamos, não apenas estamos separados de um Deus santo e justo, mas todo o nosso propósito foi retirado de nós. "Pois todos pecaram e carecem da glória de Deus".

Bem, agora temos um problema: a maior bênção que você jamais poderia ouvir é também o maior terror que jamais poderia cair sobre você. E o que é? Deus é justo. Você diz: "Isso é bom, eu quero um Deus justo, eu não iria querer um Ser todo-poderoso que é mal. Eu quero um Deus justo. Essas são boas notícias, irmão Paul". Na verdade, não são, porque *você* não é justo. Eis o problema: Ele é um Deus justo e, sendo um Deus justo e o Juiz de toda a terra, Ele agirá corretamente. E, ao agir corretamente, a resposta Dele em relação a você é completamente apavorante.

*Capítulo 2*
# DEUS ODEIA O PECADO E O PECADOR

Infelizmente, nós somos muito influenciados pelos pregadores de televisão. Várias vezes eu tenho ouvido esses "evangelistas" se levantarem no púlpito, dizendo: "A primeira coisa de que todos vocês precisam saber é que Deus não é um Deus irado". Todos devem conhecer aquela famosa frase, "Deus odeia o pecado, mas ama o pecador". Eu sei que isto será bastante ofensivo para muitos de vocês, mas eu quero dizer que tudo isso não é outra coisa, senão o mais completo absurdo. Vamos olhar para alguns textos que nos mostram o ódio de Deus sendo manifesto contra as obras más dos homens – e também contra aqueles que cometem tais obras.

Está escrito: "Deus é justo juiz, Deus que sente indignação todos os dias" (Sl 7.11). Em outra tradução, Ele é descrito como "um Deus que está irado todos os dias". Entenda: Deus não precisa de marketing ou de relações públicas para fazê-Lo politicamente correto, ou para que as pessoas gostem Dele. A Bíblia diz que Deus é um Deus irado, e você tem que se prostrar de joelhos e louvá-Lo pelo que Ele é. E Ele não é apenas um Deus irado, mas também um Deus que odeia.

Então, alguém diz: "Sim, irmão Paul, você está certíssimo; Deus *odeia o pecado*, mas ama o pecador". Bem, de fato, essa frase parece boa estampada em uma camisa cristã, mas ela não é bíblica. A Bíblia não diz que Deus odeia o pecado e ama o pecador; a Bíblia diz que Deus odeia o pecado *e* o pecador. Sim, é verdade que a ira de Deus se revela contra toda a impiedade (Rm 1.18), mas *não só* contra ela. Basta olhar para o Salmo 5 por um momento e você verá isso de modo claro: "Os arrogantes não permanecerão à tua vista; *aborreces* a todos os que praticam a iniquidade" (v. 5). Em outra tradução, "Tu *odeias* todos os que praticam o mal". Está escrito aqui que Deus odeia o pecado ou que Deus odeia o pecador? Você pode dizer: "Irmão Paul, mas e quanto à passagem em João 3.16? Lá, está escrito que Deus amou o mundo". Sim, isso é bíblico; mas o Salmo 5 também o é.

Deus é um Deus misericordioso e amoroso! Contudo, nós precisamos entender "todo o conselho de Deus" (At 20.27), e não apenas os pontos de que mais gostamos. Deus de fato é amor, mas esse Deus amoroso também odeia. Deus é misericordioso, mas Ele está irado. Nós não podemos considerar somente um lado da moeda ou apenas uma parte da história – e esse é o problema dos nossos dias.

Certa noite, eu preguei um sermão inteiro sobre a santidade de Deus. Após o culto, três homens vieram a mim, dizendo: "Nós temos um problema com você, porque você pregou um sermão inteiro sobre a santidade de Deus e não mencionou o amor de Deus sequer uma vez". Então, eu lhes respondi: "Bem, senhores, na noite passada eu preguei um sermão inteiro sobre o amor de Deus, e sequer mencionei a santidade de Deus. Contudo, nenhum de vocês teve algum problema com isso". Você vê a questão? Estamos sempre considerando apenas um lado da história, quando as Escrituras nos dizem que nós precisamos do pleno conselho de Deus.

Alguns capítulos adiante, eu falarei sobre o amor de Deus, e é possível que eu o faça de uma maneira pouco usual. Porém, para que você aprecie o amor de Deus, você precisa entender algo: o amor de Deus é exaltado da mesma maneira como as estrelas são exaltadas pela escuridão do céu. Se você estiver lendo este livro antes do anoitecer, responda-me uma pergunta: para onde foram as estrelas? Por acaso alguém as colocou num cesto e as levou embora? Por que, quando você olha para cima, você não as pode ver? É porque há muita luz! Você não pode desfrutar da sua beleza, você não pode nem ao menos vê-las, tão somente porque o dia está iluminado demais. Da mesma maneira, você não pode ver as "estrelas" da graça de Deus e do Seu amor quando você está com muita luz.

As Escrituras testificam que, se crermos que somos um pouco pecadores, pouco amaremos a Deus; se percebermos, porém, que nosso pecado é imenso, nosso amor será cada vez maior (Lc 7.47). Quando esses pregadores dizem-lhe que os homens são bons, inocentes ou "não tão maus assim", eles estão impedindo-o de ver ao Senhor. A única maneira de realmente apreciar o amor de Deus e a graça de Deus é vendo a profunda escuridão do homem. E, quando você vê a profunda escuridão do seu próprio coração, então você se dá conta de que Deus se moveu por amor a você, e isso o faz cair de joelhos, com imensa admiração, e você O adora!

Eu tenho um objetivo em toda essa "loucura" de falar sobre a ira de Deus: eu quero cavar um buraco e enterrar você no fundo. Eu preciso mostrar-lhe quão escura é a sua noite e quão sem esperança é a sua situação, para que, quando eu começar a falar de Jesus, você fique cheio de admiração. Saiba que o único motivo pelo qual você não ama a Deus como Ele merece é por que você não entendeu quanto perdão foi derramado sobre você. Do mesmo modo, você não percebe o quanto foi perdoado porque ainda não teve coragem de perceber quão profunda é a cova na qual todos nós estamos enterrados. Quanto mais vemos o nosso pecado, mais nós vemos o quanto Deus merece ser amado.

Às vezes, eu pego um molho de chaves e o chacoalho perante uma congregação, dizendo: "O som dessas chaves lhes traz alguma alegria?". Todos dizem: "Não!". E eu lhes respondo: "É claro que não, porque vocês não estão trancafiados em uma masmorra. Se vocês estivessem presos em uma masmorra, o som das chaves lhes traria muita alegria; seu coração pularia de esperança". Pregadores que evitam falar sobre o pecado são tão éticos e corretos quanto um médico que não fala a seu paciente que ele está morrendo. Afinal, Paulo afirma que esse é o propósito da lei: ela não foi designada para nos salvar, mas para nos mostrar como somos pecadores, ao ponto de fazer com que corramos para Cristo (Gl 3.24-25). Pregadores, eu quero que vocês humilhem totalmente o homem. Eu quero que o homem veja quem ele é. Então, quando nós falarmos sobre o amor de Deus demonstrado em enviar o Seu único Filho, os homens gritarão: "Como é maravilhosa a graça que um dia me salvou!".

Há alguns anos, quando eu estava no Peru, alguém me deu uma fita com a música *Amazing Grace*[3]. Aquilo me deixou muito feliz, já que eu amava aquela canção. Eu a coloquei no meu toca-fitas e, quando a primeira estrofe tocou, na mesma hora eu a tirei e a joguei no lixo. Você quer saber por quê? Porque o hino era cantado assim: *"Maravilhosa Graça! Quão doce o som que salvou um homem como eu!"*. Vocês sabem que a letra original dizia *"pecador como eu"*, *"miserável como eu"* e *"verme como eu"*, e não apenas *"homem"*. Vejam, a cada geração que passa, o homem parece estar simplesmente ficando melhor. Ora, bons homens não precisam de um Salvador; os miseráveis é que precisam. Quando você retira do homem toda

---

[3] Provavelmente o hino tradicional protestante mais conhecido do mundo, escrito pelo inglês John Newton em 1779.

a escuridão que há dentro dele, você retira a glória do evangelho que existe para iluminá-lo.

Por que os homens não buscam um Salvador? É porque, na maioria das vezes, em muitas pregações, o homem é muito "legal". Ele só precisa ser ajustado aqui e ali, e então terá tudo de que precisa. Ele só precisa de uma coisinha ou outra para tornar sua ótima vida ainda mais perfeita, e Jesus apenas está no topo dessa lista de coisinhas. Assim, ele não precisa entender que todos os homens são nascidos no pecado, miseráveis, sujos, odiadores de Deus, possuidores de um coração negro e morto. Muito da pregação do evangelho de hoje tem pouco poder porque estamos preocupados em mostrar aos homens como eles podem ser salvos, mas nos esquecemos de mostrar o quanto o homem está perdido.

Você já se perguntou por que os homens drogados, as mulheres prostitutas e os jovens assassinos, quando são convertidos, demonstram estar repletos de um zelo especial por Deus? Isso é porque eles não vieram de um clube social ou de alguma denominação religiosa onde todos pretendem ser morais, certinhos e merecedores do amor de Deus. Eles saíram do esgoto, e, quando ouviram sobre o amor de Deus, seus corações explodiram de volta em amor.

A ira é a resposta de Deus contra a impiedade do homem. Você diz: "Eu não gosto disso", mas você deveria. Se eu pegasse um jornal e sentasse ao seu lado, olhando para as notícias com um ar de riso e um brilho nos olhos, e dissesse: "Ei, você leu isto? Um pedófilo molestou seis garotos", sem dar a mínima para aquilo, o que você diria sobre mim? Você diria: "Seu doente! O que há de errado com você? Você deveria ficar irado ao ler isso!". Ah, eu deveria? Mas por que Deus não tem nenhum direito de ficar irado? Ele vê a iniquidade deste mundo todos os dias. Todos os dias, Ele vê a imundície, os assassinatos, os crimes e tudo o mais, e, na sua concepção de Deus, Ele não tem nenhum direito de estar irado?

Eu lhe afirmo que o Senhor está irado, e que Ele está tão irado que, no Dia em que Ele recuar Sua misericórdia e vier julgar este mundo, os grandes capitães desta terra clamarão para que as montanhas se levantem e caiam sobre eles, para escondê-los da ira do Cordeiro.

> *... e o céu recolheu-se como um pergaminho quando se enrola. Então, todos os montes e ilhas foram movidos do seu lugar. Os reis da terra, os grandes, os comandantes, os ricos, os poderosos e todo escravo e todo livre se esconderam nas cavernas e nos penhas-*

> *cos dos montes e disseram aos montes e aos rochedos: Caí sobre nós e escondei-nos da face daquele que se assenta no trono e da ira do Cordeiro, porque chegou o grande Dia da ira deles; e quem é que pode suster--se? (Ap 6.14-17)*

O que você pensaria de um Deus que pudesse olhar para o campo de concentração nazista de Auschwitz e ficar apático? Quem poderia dar um abraço amigo em Hitler? Quem poderia ver os Estados Unidos assassinarem milhares de bebês, todos os dias, e dizer "Está tudo bem"? Deus está irado – e, se não estivesse, Ele seria imoral, assim como eu o seria se lesse uma notícia terrível como aquela e fosse capaz de rir. Se eu fosse neutro sobre violência sexual contra crianças e dissesse: "Cada um por si! Você sabe, somos todos livres", você olharia para mim e me trataria como um tipo doentio de pessoa. Então, quão irado Deus deveria estar?

Sim, Deus está irado, porém não somente contra os "Hitlers" do mundo, mas também contra você, por todos os seus crimes e ofensas contra Ele e contra a Sua criação. Tantas pessoas me dizem: "Eu não acredito nisso!", e, quando eu digo: "Olhe aqui na Bíblia!", elas respondem: "Não, eu não vou olhar, porque eu simplesmente não acredito nisso!". Ora, isso é coerente quando você está em uma universidade, conversando com um professor agnóstico. No entanto, se alguém proclama ser cristão e faz a mesma coisa, isso é um problema sério. "Eu simplesmente me recuso!" – essa não é uma atitude cristã.

Olhe novamente para o Salmo 5: "Os arrogantes não permanecerão à tua vista; *aborreces* a todos os que praticam a iniquidade" (v. 5). Em outra tradução, se diz: "Tu *odeias* todos os que praticam o mal". Aqui, não é dito que o ódio de Deus é direcionado à iniquidade ou ao pecado, mas que a ira do Todo-Poderoso é direcionada ao *homem* que comete o pecado. Ademais, o amável e humilde Jesus não disse a mesma coisa? "O que, todavia, se mantém rebelde contra o Filho não verá a vida, mas *sobre ele* permanece a ira de Deus." (Jo 3.36).

O que você pensa que é a "ira de Deus"? A ira de Deus, em hebraico, vem de uma palavra que literalmente significa "o bufar das narinas". Quer saber o que isso significa? Eu, tendo sido um garoto criado em fazenda, possuía touros da raça Charlet. Nós tínhamos dois ou três mil touros pesados e perfeitos. E eu me lembro de que nós frequentemente recebíamos esta instrução: quando você passar pelos lotes e um touro bufar aquele nariz, sua festa acabou: é melhor você correr! Quando a Bíblia fala da ira de Deus como o "bufar das narinas", fala de uma Divindade tão irada que, somente com o hálito de Sua boca, as montanhas derretem.

Certa vez, um rapaz me disse: "Eu permanecerei de pé no Dia do Julgamento e não vou ficar com medo". Eu só pude responder: "Não, jovem. Você vai derreter diante de Deus como uma minúscula estatueta de cera diante de uma fornalha". Deus vem com ódio contra o mal, Deus vem irado contra o mal – e nós somos pessoas más.

Irmãos, nós precisamos ser alertados! Todos os homens precisam saber disso! Deus estende a Sua mão, todos os dias, para pessoas desobedientes e teimosas, mas, ao mesmo tempo, a Sua ira está vindo sobre o mundo! É como se, com uma mão, Deus estivesse retendo Sua Justiça contra este mundo e, com a outra, clamando aos homens que venham ao encontro da salvação. Porém, um dia, as duas mãos serão abaixadas, e você não poderá mais ir a Deus, tampouco a justiça Dele hesitará em cair sobre você. É por isso que uma das maiores necessidades em nosso evangelismo é ensinarmos aos homens quem Deus é. O evangelho não começa com o homem, mas com o que Deus realmente é, pois aí é que reside o problema. Se Deus não fosse quem é, então o pecado não seria o problema que é. O pecado é o que é justamente porque Deus não é apenas amor, mas também santidade e justiça.

Algumas pessoas dizem: "Irmão Paul, Deus me salvou!" e, quando elas me dizem isso, eu amo perguntar-lhes: "Do que Ele salvou você?". "Ele me salvou do meu pecado", elas respondem. Porém, isso está errado. Deus não nos salvou *apenas* dos nossos pecados, Ele nos salvou *Dele mesmo*! Muitos dizem que "o céu é o céu porque Deus está lá", e isso é real e verdadeiro. Todavia, não podemos assumir o contrário: "o inferno é o inferno porque Deus não está lá". Não é isso que as Escrituras ensinam. O inferno é a ira do Deus Todo-Poderoso, é a Sua perfeita justiça revelada contra o homem, por toda a eternidade. A morte e o inferno não são consequências naturais do pecado; eles são atuações sobrenaturais de Deus contra o homem pecador. Eles são o juízo de Deus! Isso pode parecer uma verdade nova e absurda para alguns, mas tão somente leia os livros antigos e você verá que os velhos pregadores sempre disseram isso. Hoje em dia, não agimos da mesma maneira porque perdemos a glória do Altíssimo de vista. Nós apenas respiramos o desejo de possuir grandes igrejas, e isso afasta mensagens que falem da ira.

Certa vez, uma senhora veio a mim e disse: "Não! Deus não pode odiar, porque Deus é amor". "Antes de tudo", eu respondi, "nós não devemos buscar inferências filosóficas para a verdade de Deus; nós temos que ir à Escritura e, quando a Escritura diz que Deus odeia, é melhor você acreditar. Entretanto, vamos ser filosóficos por um momento: você diz que Deus é amor, portanto Ele não pode odiar. Porém, eu lhe digo que Deus é amor e, por isso mesmo, Ele *deve* odiar". O ponto é: você ama os judeus? Então você deve odiar o holocausto. Se eu disser: "Ei, você leu sobre o holocausto?" e você responder: "Sim, mas eu sou bastante neutro nesse assunto. Quero dizer, você sabe... Foi ideia do Hitler, por mim está tudo bem", eu irei pensar que você é um monstro! Você possivelmente iria para a cadeia por um crime de ódio. Se você ama os judeus, você deve odiar o holocausto. Você ama crianças? E quantos de vocês já disseram "Eu odeio o aborto" com a própria boca? Ora, então você tem o direito de odiar, por causa do grande amor que está no seu coração? O que dizer de Deus?! Você acha estranho que Deus odeie porque Ele ama?

Entenda: Deus ama tudo o que é lindo, amável e excelente. Em outras palavras, Deus ama tudo o que é semelhante a Ele! É daí que vem o problema. Nós achamos que temos o direito de amar tudo o que escolhemos amar, mas nós pensamos que Deus deve amar tudo o que *nós* amamos. Deus ama tudo o que é semelhante a Ele por causa de Sua absoluta perfeição; e Ele vem com ira contra tudo aquilo que contradiz a Sua natureza e vontade – e estes somos nós. Cada pessoa que já andou na face da terra tem quebrado cada lei que Deus criou. Se você não entende isso, você não entende o Cristianismo.

*Capítulo 3*

# COMPLETAMENTE JUSTOS

Já observamos, em nosso texto principal, que "todos pecaram e carecem da glória de Deus" (Rm 3.23). Agora, falando acerca daqueles que são verdadeiramente convertidos, regenerados pelo Espírito Santo e crentes em Jesus Cristo para a salvação, o texto diz: "sendo justificados..." (Rm 3.24).

O que isso significa? Ser justificado não significa apenas que Deus me trata como se eu nunca tivesse pecado, mesmo que isso rime. Ser justificado também não significa que, no momento em que você creu em Jesus, Deus fez de você uma pessoa perfeitamente justa – pois, se esse fosse o caso, você nunca mais pecaria de novo. Ser justificado significa que, no momento em que o pecador olha para Jesus, com fé salvífica, aquele pecador é declarado legalmente justo e correto diante de Deus. Na verdade, "justificação" é um termo forense, retirado do campo do direito. Deus, o Juiz, inclina Seus olhos para um pecador que colocou sua fé em Cristo e declara que aquele pecador é legalmente justo diante Dele.

Agora, como isso funciona? O texto nos diz: "sendo justificados gratuitamente, por sua graça". Paulo está sendo redundante ao falar que somos justificados gratuitamente pela graça, a fim de nos mostrar que a justificação é um presente. Do mesmo modo que foi dito a respeito do Messias que eles O odiaram "sem motivo" (Sl 35.19; 69.4). Acaso alguma vez Jesus deu qualquer razão para que alguém O odiasse? Nunca! Jesus jamais deu a menor sugestão de uma causa para alguém odiá-Lo. Eles O odiaram sem qualquer causa, "sem motivo". E essa é a mesma expressão usada aqui para falar da nossa justificação diante de Deus. O cristão é justificado sem motivo algum. Isso significa que você não deu a Deus absolutamente qualquer motivo para Ele declará-lo justo. "Eu não sei por que Deus me salvou", cantam alguns. Eu posso lhe dizer isso: "Não foi por causa de você, mas *apesar* de você". Que mérito Deus viu em mim? Absolutamente nenhum! Paulo nos mostra que Ele nos declarou justos, embora não déssemos motivo algum para que Ele assim fizesse. Ele nos justifica sem motivo, por Sua graça.

Se você olhar para a maioria das religiões, talvez com exceção de algumas religiões orientais místicas, todas elas buscam responder a apenas uma questão: "Como um homem pode ser justo diante de Deus?". Se você for a uma tribo pagã na África, na América do Sul ou nos Estados Unidos, todas fazem sacrifício de sangue, quer seja para árvores, deuses ou demônios. Ao redor do mundo inteiro, ao longo da história, os homens convivem com essa realidade de que eles estão errados com Deus e de que precisam fazer algo a respeito. Independentemente do deus no qual eles acreditam, eles têm essa tormenta em sua consciência. Eles sabem que algo está errado. Isso nos demonstra que o primeiro capítulo de Romanos é real:

> *A ira de Deus se revela do céu contra toda impiedade e perversão dos homens que detêm a verdade pela injustiça; porquanto o que de Deus se pode conhecer é manifesto entre eles, porque Deus lhes manifestou. Porque os atributos invisíveis de Deus, assim o seu*

*eterno poder, como também a sua própria divindade, claramente se reconhecem, desde o princípio do mundo, sendo percebidos por meio das coisas que foram criadas. Tais homens são, por isso, indesculpáveis; porquanto, tendo conhecimento de Deus, não o glorificaram como Deus, nem lhe deram graças; antes, se tornaram nulos em seus próprios raciocínios, obscurecendo-se-lhes o coração insensato. Inculcando-se por sábios, tornaram-se loucos. (Rm 1.18-22)*

Todos os homens sabem acerca do único Deus verdadeiro e de Sua vontade o suficiente para entenderem que quebraram a Sua lei, o suficiente para entenderem que Deus está contra eles e eles, contra Deus.

Agora, imagine que um entrevistador faz um programa com três homens das três principais religiões do mundo. O repórter se achega ao judeu ortodoxo e diz: "Senhor, se você morresse agora, para onde iria?".

"Bem, eu deveria ir ao paraíso, porque eu amo a lei do Senhor, sou um homem justo, faço boas obras, estudo a lei e amo a justiça; nela me alimento de dia e de noite".

O repórter responde: "Ok, eu entendi", e passa para o muçulmano: "Se você morresse agora mesmo, para onde iria?".

"Eu deveria ir ao paraíso", o islâmico responde, "porque eu amo o Alcorão, fiz todas as peregrinações, fiz as orações diárias, dei esmolas aos pobres e, por isso, eu sou um homem justo".

O repórter diz: "Ok, eu entendi".

Então, ele se dirige ao cristão, o verdadeiro cristão, e diz: "Senhor, se você morresse agora mesmo, para onde iria?".

Ele responde: "Eu deveria ir para o céu, porque, bem... eu nasci em pecado, em pecado minha mãe me concebeu; eu quebrei cada lei já dada por Deus, fui achado completamente injusto, sem mérito ou valor, de modo que eu mereço o mais profundo e escuro julgamento...".

O repórter o interrompe e diz: "Pare! Eu entendo os outros caras. Eles dizem que vão para o céu porque eles merecem ir para o céu; Deus deve a eles, Deus está em dívida com eles. Já que eles se provaram dignos, Deus deve dar a eles o céu. No entanto, eu não entendo você! Você me conta com alegria que vai para o céu, mas depois me diz que não tem valor ou mérito para ir para lá. Como então você vai para o céu?".

O cristão sorri e diz: "Porque eu vou para o céu baseado no mérito e no valor de Outro: Jesus Cristo, meu Senhor".

Responda-me: qual desses três dá glória a Deus e quais deles apenas dão glória ao homem? Veja, isso não é sobre nós, sobre nossa moralidade ou sobre nossa bondade; isso é sobre Deus.

Um repórter veio a mim certa vez e disse: "Por que você sempre está falando sobre pecado?". Eu disse: "Porque eu quero que você ame a Deus". Obviamente, ele achou minha resposta estranha e retrucou, perguntando o que eu queria dizer com aquilo. Eu disse: "Você alguma vez leu a passagem que diz: 'Ela amou mais, porque foi mais perdoada'? Meu amigo, se o seu amor por Deus é pequeno, isso é porque você não sabe o quanto foi perdoado – e você não sabe o quanto foi perdoado porque jamais lhe contaram o quão pecaminoso você é".

Imagine que eu convide Bill Gates para visitar minha casa, a fim de comermos juntos um prato de cereais. Ele não vai ficar beijando minhas mãos, nem vai se ajoelhar chorando de gratidão. Porém, em muitos lugares onde eu servi ao redor do mundo, se eu desse a alguém um prato de cereais, ele iria se prostrar diante de mim e beijar minhas mãos, porque ele estava faminto e necessitado. Nós somente podemos ver a glória do amor de Deus quando reconhecemos nossa necessidade e largamos todas essas tolas e banais ideias de valor, mérito e justiça própria.

Nosso texto continua. "Sendo justificados gratuitamente, por sua graça". E como isso acontece? "Mediante a redenção". Eu concordo com alguns antigos, quando eles afirmavam que há certas palavras na Bíblia com as quais precisamos ser bastante cuidadosos ao mencioná-las. Nós dizemos certas coisas rápido demais, sem meditarmos nelas por um momento sequer. Nós temos todas essas canções extravagantes hoje em dia, todos esses "Uhu!", "Yeah!", "Wow!", toda essa cantoria que está acontecendo, com esses refrões que dizem algo como: "Yeah! Jesus morreu por mim!". Ora, se você viesse a mim quando eu houvesse acabado de perder meu filho e dissesse: "Yeah! Seu menino morreu!", eu só olharia para você, como quem diz: "Que tipo de monstro é você?! Você sabe o que está dizendo?!".

"Jesus morreu!". Não deveria haver um curvar da cabeça e um tremer dos lábios quando disséssemos isso, ou um pensamento de honra ao Pai, o qual entregou Seu Filho? Você acha mesmo que podemos apenas cantar essas tolas canções *gospel*, bagunçar, gritar e fazer todas essas coisas, tendo em vista que Ele morreu? O Pai deu o Seu Filho! Quando você diz coisas como: "Jesus morreu!", você não deveria parar por um momento, ou algo assim?

Meu pai participou da Segunda Guerra Mundial em uma de suas mais horríveis batalhas. Qualquer um pode assistir a um filme sobre a Segunda Guerra Mundial no History Channel e conversar sobre estratégias ou friamente falar sobre o que aconteceu e o que não aconteceu; mas meu pai fica apenas calado, olhando, porque todos os amigos dele morreram naquela guerra. Os homens ficam discutindo sobre o Vietnã e falando sobre o que está certo e errado de acordo com os modelos políticos, mas o homem que veio do Vietnã ouve tudo isso e diz: "Vocês só podem falar desse jeito porque não estavam lá".

Como você pode dizer isto com entusiasmo, gritando como se fosse apenas uma rima em uma canção? Jesus morreu, e, ainda que nos refiramos a isso alegremente, pelo que Deus nos entregou em Cristo, devemos fazer com reverência e pesar pelo preço que foi pago.

O texto diz: "Sendo justificados... mediante a redenção". "Redimir" é o termo usado para comprar um escravo ou um cativo, pagando um preço por ele. É exatamente o que Cristo fez por nós! Porém, o preço pago não foi o esvaziar de cofres, nem mesmo consistiu em arrancar as ruas de ouro dos céus para enviá-las ao diabo. Ele deu o sangue de Seu Filho unigênito.

Eu me lembro de quando o meu primeiro filho nasceu, o pequeno Ian. Alguns dias depois do seu nascimento, eu dirigia de volta para a fazenda em minha velha picape azul, pensando: "Jesus morreu, Jesus morreu". Eu pensava nisso sem parar. Alguns de vocês que são pais entendem isso bem. No momento em que coloquei os olhos naquele menino, eu sabia que poderia lutar contra um exército por ele. Eu morreria mil vezes por ele. Eu jogaria meu corpo na frente de um trem por ele. Eu não podia acreditar – chegava a ser assustador quanto amor eu tinha por aquele pequeno rato sem pelo no berço. Era a coisa mais linda que eu já tinha visto na minha vida!

O nascimento do meu primeiro filho fez com que eu ficasse extremamente chocado, pela primeira vez, com a grandeza de não apenas o Filho ter pagado pelo nosso pecado, mas porque o Pai deu o Seu Filho para isso. Ele O deu para morrer. Eu não poderia fazê-lo! Eu não daria meu filho por ninguém. Talvez eu me entregasse por alguém, mas eu não daria o meu filho por pessoa alguma.

Não deveríamos nos conscientizar de que existem algumas palavras bíblicas as quais, ao serem pronunciadas, deveriam nos fazer parar por um momento? Não é verdade que as mais preciosas frases podem tornar-se nada mais do que vagos clichês ou jargões sem sentido, unicamente porque as repetimos várias e várias vezes sem refletir sobre elas? Eu quero dizer: Ele morreu, Ele realmente morreu! Era mesmo o Seu sangue vertido naquele madeiro. E essa é a única razão pela qual a imundície negra de nosso pecado pode ser lavada. Aquele sangue naquele madeiro foi o abatimento do Filho de Deus. Um teólogo disse: "Você deseja saber o quanto Deus o amou? Então apenas olhe para a Cruz. Quanto custou? Quão desprezível e obscuro é o seu pecado? Olhe para aquele madeiro, e ele lhe dirá tudo".

Por meio de quem recebemos a redenção? "Mediante a redenção que há em Cristo Jesus". Uma vez eu estava pregando e um jovem rapaz veio a mim, após o sermão, todo empolgado. Ele disse: "Você está certo, irmão Paul, Jesus é tudo de que precisamos". Eu completei: "Meu jovem, Jesus é tudo o que temos". Fora Dele não há nada. Ou você está no Cristianismo ou você está nas trevas. Você deve compreender isto: ou você está em Adão, ou em Cristo; ou você está na morte, ou na vida; ou você está na carne, ou no Espírito; ou você está condenado, ou liberto. Tudo o que temos é Cristo, nada mais.

Há alguns anos, eu ministrava no Seminário Oral Roberts e encontrei alguns cristãos muito decentes. Algum tempo depois, um deles veio a mim e disse: "Moço, você é um daqueles antigos caras puritanos?". Eu perguntei: "O que faz você pensar assim?", e ele respondeu: "A sua oração, porque você disse algo como: 'Deus, eu venho diante do Senhor em nome de Jesus, e eu sei que além Dele eu não tenho parte alguma Contigo'".

Nós esquecemos, nos dias atuais, que tudo é em Cristo e por Cristo. É por isso que Paulo, o apóstolo, fica espantado no livro de Efésios ao falar sobre Jesus. Cristo é tão glorioso para Paulo que ele inicia a falar Dele no versículo 3 do primeiro capítulo e nem ao menos sabe onde pôr o ponto final – ele só consegue encerrar a frase no verso 14! Ele só podia continuar escrevendo e escrevendo e escrevendo, porque é tudo Nele, por Ele e para Ele; é tudo em Cristo, por Cristo e para Cristo. É tudo sobre Ele, nada é sobre você. É por isso que eu amo aquela antiga canção que diz: *"Nada em minhas mãos eu trago, somente à Tua cruz me agarro"*[4]. É Cristo ou nada. E é melhor que você goste disso, pois, se for 99,99% Cristo e 0,01% você, você vai para o inferno. É Cristo, e Cristo somente.

---

4  *Rock of Ages*, de Augustus Toplady, escrita em 1776.

## Capítulo 4
# O Maior Problema das Escrituras

O dicionário Webster define a palavra "dilema" como uma "situação envolvendo uma escolha entre alternativas igualmente insatisfatórias" ou "um problema aparentemente incapaz de ser satisfatoriamente solucionado". Este capítulo será bem curto, porque tudo o que eu quero fazer é lançar um dilema, uma pergunta a ser respondida no próximo capítulo. Nossa questão está no livro de Provérbios, no qual encontramos o maior problema filosófico e teológico da Escritura, de modo que você poderia dizer que a Bíblia inteira é sobre isso – ou seja, se você não compreende esse ponto, você não entende a Palavra e não entende o próprio evangelho.

> *O que justifica o perverso e o que condena o justo abomináveis são para o SENHOR, tanto um como o outro. (Pv 17.15)*

"Abominação" é provavelmente a palavra mais forte que temos em toda a Escritura. Não há nada mais horrível diante de Deus do que uma abominação – ao pé da letra, algo *odiável*. O que é odiável e abominável a Deus, segundo esse texto? Justificar o perverso e condenar o justo – ambas as atitudes são odiáveis a Deus.

Porém, o que diz o versículo 24 de nosso texto principal? "Sendo justificados". Deus nos justificou, mesmo sendo nós um povo injusto, como vimos no primeiro capítulo. Qual é o problema aqui? Qualquer um que justifica um homem perverso é uma abominação a Deus, mas nós estávamos, há pouco, nos regozijando no fato de Deus nos justificar, mesmo sendo nós homens perversos! Se Deus disse que qualquer um que justifica o perverso é uma abominação diante Dele, então como Deus pode justificar você, que é perverso, sem se tornar Ele mesmo uma abominação?

Ora, se Deus não pudesse perdoar o iníquo, todos nós pereceríamos, porque a Escritura declara que "todos pecaram" (Rm 3.23), que "o salário do pecado é a morte" (Rm 6.23) e que "a alma que pecar, essa morrerá" (Ez 18.4). Mas Deus nos justifica, e já vimos isso! Como Deus permanece justo? Esse é o maior problema em toda a Escritura e é esse todo o assunto que permeia o evangelho de Jesus. O maior dilema em toda a Bíblia é este: Se Deus é justo, Ele não pode perdoar você. Deus não pode tratar ímpios e justos do mesmo modo. "Longe de ti o fazeres tal coisa, matares o justo com o ímpio, como se o justo fosse igual ao ímpio; longe de ti. Não fará justiça o Juiz de toda a terra?" (Gn 18.25).

Alguém poderia perguntar por que Deus não pode simplesmente perdoar o pecado do homem e estar bem com ele. Ora, se a Escritura nos ordena a perdoar livremente, então por que seria errado para Deus fazer o mesmo? Existem três respostas a essa pergunta.

Em primeiro lugar, Deus é um ser de valor infinito. Mesmo a menor forma de rebelião é um crime grotesco contra a Sua pessoa, um crime de alta traição, um ataque contra a própria ordem da criação. É digno da pior censura. Não é possível ignorar o ocorrido apenas com um tapinha nas costas.

Ao defender a justiça de um inferno eterno, John Piper nos lembra de que

> *a gravidade do pecado origina-se do que ele diz acerca de Deus. Deus é infinitamente digno de ser honrado. Mas o pecado diz o oposto. O pecado diz que existem coisas mais desejáveis e mais dignas. Até que ponto isso é grave? A gravidade de um crime é determinada, em parte, pela dignidade da pessoa e do cargo que está sendo desrespeitado. Se a pessoa for infinitamente digna, infinitamente ilustre, infinitamente querida e ocupar um cargo de infinita dignidade e autoridade, rejeitá-la é um crime infinitamente ultrajante. Portanto, merece um castigo infinito. A intensidade das palavras de Jesus acerca do inferno não é uma reação exagerada a pequenas ofensas. As palavras de Jesus são um testemunho ao infinito valor de Deus e à desonra ultrajante do pecado humano.[5]*

Jonathan Edwards também desenvolve essa ideia:

> *O crime de alguém em desprezar e lançar desonra sobre outro é mais ou menos infame na proporção da*

---

5 PIPER, John. *O que Jesus espera de seus seguidores*: mandamentos de Deus para o mundo. São Paulo: Editora Vida, 2001, p. 107.

> *maior ou menor obrigação desse alguém em obedecer ao desonrado. Consequentemente, se houver algum ser que temos obrigação infinita de amar, honrar e obedecer, o contrário concernente a ele deve ser infinitamente censurável. Nossa obrigação de amar, honrar e obedecer algum ser está em proporção com sua amabilidade, honradez e autoridade. [...] Mas Deus é um ser infinitamente amoroso, porque ele tem excelência e beleza infinitas. [...] Portanto, o pecado contra Deus, sendo uma violação de obrigações infinitas, deve ser um crime infinitamente infame e, assim, merece punição infinita. [...] A eternidade do castigo de homens incrédulos torna-a infinita... e, logo, faz com que não seja mais do que proporcional à infâmia daquilo de que são culpados.[6]*

Um ato de injustiça tão grande sendo cometido contra um Ser tão santo não pode simplesmente ser varrido para debaixo do tapete.

Em segundo lugar, Deus é justo, e o Seu amor é um amor justo. Deus não pode amar injustamente, assim

---

6   EDWARDS, Jonathan. *The justice of God in damnation of sinners*. In: The works of Jonathan Edwards. v. 1. Edinburg: The Banner of Truth Trust, 1974, p. 669.

como Ele não pode amar a injustiça. Não há contradição no caráter de Deus. Ele deve ser ao mesmo tempo justo e amoroso, e não pode ser um à custa do outro. Às vezes, eu ouço evangelistas dizerem coisas como: "Deus poderia ser justo com você, mas, ao invés de ser justo, Ele foi amável". Você sabe o que isso significa? Que o amor de Deus é injusto. Você percebe isso? As pessoas dizem muitas coisas estúpidas: "O grande amor de Deus por você O fez ignorar Sua própria justiça e pecar para salvar você". Esse é justamente o problema: como Deus pode ser justo e, ao mesmo tempo, o Justificador de homens pecadores?

Imagine o seguinte: estamos 500 anos atrás, e eu sou um escravo na Espanha. Naquela época, a punição para escravos que roubassem era a morte. Essa era a lei. Isso é o que a lei dizia. Se você rouba, você precisa morrer. Eu sou um escravo ladrão que havia fugido, e sou finalmente capturado pelo meu amo, meu mestre. Existe uma nuvem de testemunhas do meu crime e é inegável a minha culpa. Então, sabendo do meu destino, eu caio sobre meus joelhos e clamo: "Seja propício a mim. Seja misericordioso!" O que você diria acerca disso? "Bem, agora eu acho que o mestre deve fazer uma escolha pela vida do escravo". No entanto, nós temos um problema. A lei cobra minha morte. A justiça pede que eu morra. O que está acontecendo é que eu estou pedindo a meu mestre que desobedeça a lei, feche os olhos para a justiça e me deixe seguir com meu pecado. Ora, se vivemos em uma sociedade que não consegue sequer suportar essa tensão no reino dos homens, como entenderemos completamente como esse mesmo ponto se relaciona com o Reino dos céus, no qual a justiça de Deus cobra a nossa morte?

Olhe para a nossa cultura. Ela não é atualmente baseada na justiça, concorda? Nós sequer lemos os livros antigos sobre as leis! Eu duvido seriamente que qualquer candidato à presidência esteja lendo a *Lex, Rex* de Rutherford[7]. Veja, nós somos um povo de lábios impuros. Bebemos iniquidade como se fosse água. Como o povo de Nínive, nós não sabemos sequer diferenciar a nossa mão esquerda da direita. E mais, ainda existe algo muito importante a ser considerado: Deus deve ser justo não porque existe alguma lei acima Dele, à qual Ele deve conformar-Se, como algum tipo de lei universal de justiça que Deus não pode quebrar. Não é isso que a Bíblia ensina. Deus deve ser justo porque Ele é justo. Deus deve ser consistente com quem Ele é. Ele é um Deus justo. Ele não

---

7 *Lex, Rex* é um livro escrito pelo ministro presbiteriano escocês Samuel Rutherford, publicado em 1644 com o subtítulo "A Lei é Rei", pretendendo ser uma defesa do ideal presbiteriano e escocês de política.

pode cometer injustiça nem mesmo em nome do amor. O amor de Deus é santo, o amor de Deus é justo. Então a pergunta continua a ser: como Deus pode ser justo e justificar o pecador?

Em terceiro lugar, Deus é o juiz de toda a terra. É o seu dever garantir que a justiça seja feita e que o mal seja punido. Não seria adequado para o Juiz celestial perdoar o ímpio mais do que seria para um juiz terreno perdoar o criminoso que está diante dele em um tribunal de justiça. Não é nossa queixa frequente que nosso sistema de justiça é corrupto? Não ficamos irados quando criminosos culpados são libertos? Será que devemos esperar menos justiça de Deus do que exigimos de nossos juízes?

Deixe-me dar um exemplo. Você deixa sua família em casa para trabalhar e, quando retorna à noite, descobre que eles foram assassinados violentamente. Você entra pela porta e o homem que os matou ainda está lá, com sangue em suas mãos, e está terminando de estrangular a sua última criança. Com a força de um touro, você corre pelo quarto, carrega aquele homem, o agarra e o lança ao chão. Tudo o que você quer é matá-lo, mas, por ser salvo em Cristo, você resiste e chama a polícia. Você entrega esse violento assassino, que acabou com toda a sua vida, despedaçando tudo pelo que você já viveu, nas mãos das autoridades. A polícia o leva ao juiz, e, na presença de todas as pessoas da cidade naquele tribunal, o juiz olha para baixo, para o homem que assassinou sua família inteira, e diz: "Eu sei que você é um assassino cruel e violento, mas eu sou um juiz muito amável e eu nunca fico irritado com ninguém. Você está livre para ir, eu te perdoo".

O que você faria? Existe alguém naquela corte que vai se juntar a você, dar as mãos e cantar o "Tchutchuê"? Eu vou dizer-lhe exatamente o que aconteceria: você pularia imediatamente do seu lugar e gritaria: "Eu exijo justiça!". Você escreveria para a Câmara dos Deputados, para o Senado, para o Presidente e para a ONU; colocaria nos jornais e iria à televisão, dizendo: "Existe um juiz sentado naquela Corte que é mais perverso do que o homem que massacrou minha família, porque um juiz deve fazer o que é certo, ele deve fazer justiça, ele não pode justificar o perverso". Você vê o problema? Você exigiria justiça de seus próprios juízes, mas você fica nervoso quando alguém diz que Deus é justo. Se Deus é justo – e Ele certamente é –, Ele não pode perdoar você sem se tornar perverso.

Essa é a questão de toda a Escritura e é isso o que quero dizer quando digo que as pessoas não compreendem o evangelho atualmente. Quando foi a última vez que você ouviu isso? Nós temos ignorado a profundidade do evangelho e ainda nos perguntamos por que nossas pregações possuem tão pouco poder. Como perdemos o evangelho, acabamos precisando apelar carnalmente para todas aquelas técnicas de crescimento de igreja. O motivo pelo qual não alcançamos as gerações X, Y ou Z, ou qualquer outra, não é por causa de irrelevância cultural, mas por falta da mensagem do evangelho. Temos uma versão reduzida e sem profundidade, mas não o evangelho que é poderoso e mortal, que é vigoroso e escandaloso – e é nele que reside o poder para a salvação.

Eu percebo como esquecemos o verdadeiro evangelho quando faço perguntas sobre a Escritura para alguns estudantes que encontro nas minhas viagens, especialmente pela Europa.

"Por que Jesus morreu?"

Eles dizem: "Bem, por causa do nosso pecado".

"Ok, por que Jesus morreu?"

"Já dissemos, por causa de nosso pecado."

"Não, vocês não estão respondendo à pergunta. Vocês têm que ir mais profundo do que isso. Por que o pecado é um problema?"

"Bem, porque o pecado é errado."

Não! Não é esse o problema. O problema é este: Deus é um Deus justo e Ele é o Juiz de toda a terra, de modo que Ele deve fazer o que é correto, Ele deve ser consistente com o Seu próprio caráter. Se Ele olhar para o pecado e libertar o pecador, Ele é tão perverso quanto aquele juiz que acabei de descrever. Portanto, o maior problema em toda a Bíblia, o dilema Divino de todas as Escrituras inspiradas, é este: se Deus é Justo, Ele não pode perdoar você. Então, a questão é: como pode Deus justificar um homem perverso e continuar sendo justo?

*Capítulo 5*
# DEUS O FEZ PECADO POR NÓS

A resposta para o nosso grande dilema do capítulo anterior é encontrada nesta única palavra: "propiciação" (Rm 3.25). Agora, além dos nomes de Deus, eu lhe afirmaria que essa é a palavra mais importante de toda a Bíblia. Ainda assim, se eu distribuísse pedaços de papel entre os membros das igrejas deste país e pedisse a cada um deles que definisse para mim a palavra "propiciação", a maioria das pessoas não seria capaz de fazê-lo. Veja, o fato é que nós não somos endurecidos em relação ao evangelho; nós somos ignorantes a respeito dele. Essa é a palavra mais importante da Bíblia e, mesmo assim, a maioria das pessoas não sabe disso. O conceito mais importante em toda a Bíblia é como Deus pode ser justo e, ao mesmo tempo, o justificador dos pecadores; ainda assim, isso é algo sobre o que poucos sequer ouviram falar.

Nosso texto principal diz: "a quem Deus propôs [...] como propiciação". Deus expôs Cristo publicamente para aniquilar o pecado. Falando sobre a cruz, Martyn Lloyd-Jones diz que "Deus *'emplacou'* o Seu Filho"[8]. Essa é uma palavra interessante: Deus fez Jesus tornar-se uma espécie da placa, um sinal para todos os que passam pela estrada, no local mais visível em que se poderia estar. Quando você vai a Missouri[9], você vê *outdoors* por toda parte, de tal modo que não consegue sequer contemplar a natureza por causa de tantas placas que existem lá. Existem anúncios "emplacados" por todo lugar para o qual você olhar. Do mesmo modo, Deus "emplacou" o Seu Filho no centro do mundo, na cidade religiosa mais importante da face da terra. Lá, à vista de todos, uma cruz foi levantada e o Seu Filho foi pregado nela.

---

8 LLOYD-JONES, David Martyn. *Pregação e pregadores*. São Paulo: Editora Fiel, 2008, p. 188. A versão em português da obra modificou a expressão original "tornar uma placa".

9 Um dos 50 estados dos Estados Unidos, localizado na Região Centro-Oeste do país.

Agora, por que Deus expôs Seu Filho publicamente? O ponto é que Deus estava fazendo bem mais do que apenas salvando o homem naquele madeiro. Uma questão que precisa ser respondida é: o que é propiciação? Uma propiciação é um sacrifício feito no lugar da parte culpada, que justifica, ou satisfaz a justiça de Deus, e faz com que seja possível para Deus perdoar homens pecadores. É um sacrifício feito no lugar do pecador, para que a justiça, que demanda a sua morte, seja saciada, e Sua ira e santo ódio contra o pecado sejam apaziguados, de modo que Deus possa livremente perdoar. E esse sacrifício foi o próprio Cristo.

Agora, vamos falar sobre a morte de Cristo por um momento. Nós sabemos que aquele que deveria morrer no madeiro haveria de ser um homem, pois o sangue de touros e de bodes não pode remover pecados (Hb 10.4). Foi Adão quem pecou, foi a raça de Adão que caiu, logo é um filho de Adão que deve morrer no lugar do culpado.

Porém, aquele que deve morrer naquele madeiro haveria de ser mais que um homem. Ele deve igualmente ser *Deus*.

Por que aquele que morreria no madeiro deveria ser Deus? Primeiramente, há esta pequena frase do livro de Jonas: "Ao SENHOR pertence a salvação!" (Jn 2.9). Isaías é bem mais claro ao nos mostrar que Deus não divide Seu título de Salvador com ninguém (Is 42.8; 48.11). É por isso que a doutrina das "testemunhas de Jeová" é uma abominação, porque elas dizem que Deus fez uma criatura inocente para descer e salvar os homens, a fim de remover o pecado. Ora, se esse fosse o caso, então fora uma criatura que nos salvara. Mas o que você precisa entender é que Cristo não era uma criatura, mas o Criador – o eterno Filho de Deus que desceu do céu, não julgando como usurpação o ser igual a Deus (Fp 2.6). Ele não deixou de lado Sua divindade; Ele deixou de lado a glória e os privilégios de Sua divindade. Ele não se tornou algo menor que Deus, mas Ele se tornou algo que Deus nunca foi. Ele trouxe sobre Si a natureza humana, Ele tomou para Si a carne e tornou-Se homem. Ele foi para aquele madeiro, como o Deus-Homem, morreu naquele madeiro como o Deus-Homem, e ressuscitou dentre os mortos como o Deus-Homem. E Aquele a quem nós chamamos de Salvador não é somente Homem, mas é Deus, de modo que as palavras de Jonas permanecem intactas: "Ao SENHOR pertence a salvação".

Por que aquele que morreria no madeiro deveria ser Deus? Em segundo lugar, porque aquele que iria ao madeiro precisava entregar sua *própria* vida. Você diz: "Um homem pode fazer isso", mas não, não pode. "Um anjo pode fazer isso". Não, não pode. Por quê? Imaginemos que você precisa de um carro e eu estou dirigindo um que peguei emprestado do pastor; quando percebo sua necessidade, dou a você o carro do pastor. Ora, eu não estou lhe dando meu carro, eu estou dando algo emprestado de outro. De onde a vida de um homem vem? Vem de Deus. Os anjos possuem vida inerente a eles próprios? Não! Mas Jesus disse: "Tenho autoridade para a entregar [a minha vida] e também para reavê-la"(Jo 10.18). Aquele que morreria no madeiro deveria entregar a *sua* vida, não uma vida emprestada de outro.

Por que aquele que morreu no madeiro deveria ser Deus? Em terceiro lugar, porque ninguém além Dele poderia suportar tão santa ira e ressuscitar. As montanhas se derretem diante da ira de Deus, os rios secam diante da ira de Deus, nações são destruídas diante da ira de Deus, e um dia todo o universo será dissolvido em fogo pela ira de Deus. Quem, a não ser o próprio Deus, pode suportar tamanha ira e ressuscitar? Como diziam os puritanos, ninguém além de Deus poderia permanecer diante de tamanha ira. Para que você pudesse ser salvo, alguém teve que receber a ira divina em seu lugar; e foi o próprio Deus quem o fez. "Ao SENHOR pertence a salvação".

Por que aquele que morreu no madeiro deveria ser Deus? Eu estava ministrando em uma universidade alguns anos atrás e, após minha pregação, uma seção de perguntas e respostas foi iniciada. Um estudante se levantou, parecendo bastante nervoso, e disse: "Eu tenho um problema para você, pregador. Como pode um homem sofrer por algumas poucas horas naquele madeiro e pagar os pecados de uma multidão de homens e salvá-los de uma eternidade no inferno? Isso não é certo!". Então, silenciosamente, eu comecei a chorar. Eu disse: "Jovem, obrigado por fazer essa pergunta, porque a resposta é a minha favorita. Aquele Homem sofreu por poucas horas no madeiro e salvou uma multidão de homens de uma eternidade no inferno unicamente porque Aquele único Homem era mais digno do que todos os outros colocados juntos. Ele, sozinho, valia mais do que todos os homens juntos, e é por isso que o sofrimento Dele foi suficiente para comprar todos os outros".

Nós não precisávamos do sacrifício de um bom homem, nem de um rei, nem de um homem perfeito, nem de um anjo, nem de um arcanjo; nós precisávamos do sacrifício de Alguém infinitamente valioso para pagar a punição infinita que merecíamos, devido à nossa culpa infinita, por pecarmos contra um Deus infinitamente santo.

Quando os teólogos falam sobre o "perfeito sacrifício" de Cristo, eles não dizem apenas que Ele era sem pecado, mas eles também falam do valor infinito da vida que foi entregue como oferta. Se você pegar uma balança cósmica gigante e colocar de um lado dela tudo o que você puder achar: estrelas e galáxias, sóis, luas e planetas, montanhas e montes, traças e homens, grilos e palhaços, areia e rochas de granito – tudo o que você puder encontrar em toda a criação – e colocar Jesus no outro lado, Ele certamente ultrapassa todos eles. Esse é o Seu valor infinito. Ele é Deus. Sua dignidade não pode ser medida, nem pode ser esvaziada ou comparada.

Você consegue ver a preciosidade de Cristo? Alguém que fosse um homem tinha que morrer ali. Alguém que fosse Deus tinha que morrer ali. E Cristo cumpriu essas duas exigências!

Vamos observar Sua morte por um momento. O texto diz: "a quem Deus propôs, *no seu sangue*, como propiciação". No seu sangue. Cristo tinha que morrer. Não apenas desfalecer, não apenas sofrer, não apenas dormir; Ele tinha que entregar Sua vida, Ele tinha que morrer. Mas como? Eu estava na Europa há alguns anos, ensinando alguns missionários ciganos em um seminário alemão. Depois das seções de ensino, eu fiquei cansado e fui até a biblioteca, a fim de encontrar um livro para ler. Todos eles estavam em alemão e eu não conseguia encontrar algo na minha língua, até que finalmente achei um livro chamado "A cruz de Cristo" – não o de John Stott, mas outro do qual eu nunca tinha ouvido falar antes. Então eu abri o livro e comecei a folheá-lo, para ver o que o autor estava dizendo. Foi quando eu li o seguinte: "Quando Jesus Cristo estava naquele madeiro, Deus olhou do céu e viu o sofrimento que fora afligido sobre o Filho de Deus pelas mãos dos romanos, de modo que Ele contou isso como o pagamento pelos nossos pecados". Ora, isso é heresia! No entanto, se você escutar a maioria das pregações atuais, isso é tudo o que você sempre irá ouvir.

Quando foi lançado o filme "A Paixão de Cristo", de Mel Gibson, um pregador famoso foi convidado a participar de um programa em certa rádio. Nesse dia, eu estava trabalhando na fazenda. Quando o programa começou, eu aumentei o volume do rádio e me sentei no caminhão, ouvindo. Ele disse o seguinte: "Devido a toda essa controvérsia sobre a paixão de Cristo e o filme que foi lançado, eu senti que seria bom separar este tempo de ensino que tenho com vocês na rádio para explicar a vocês o verdadeiro significado da cruz", e eu pensei: "Louvado seja

Deus!". Então, ele passou meia hora falando sobre tudo o que os romanos fizeram com Jesus, e disse: "Por causa disso, nossos pecados foram pagos". Ele falou sobre os espancamentos, as coronhadas, os chicotes, o rastejar em direção ao madeiro, o ser derrubado, os pregos, a coroa, o manto, a lança em seu lado, a sufocação e a crucificação – ele falou sobre absolutamente tudo, mas esqueceu do principal. Eu não quero diminuir nada dos sofrimentos físicos de Cristo, mas o homem perdeu completamente o evangelho ao focar apenas isso.

Se hoje você é salvo, você não é salvo porque os romanos pregaram Jesus num madeiro, nem porque os judeus O chicotearam ou porque O espancaram violentamente. Se hoje você é salvo, isso se deve ao fato de que, quando Ele estava naquele madeiro, Ele carregou os nossos pecados e o Seu próprio Pai O esmagou como sacrifício (Is 53.10). Nós não somos salvos por aquilo que os romanos fizeram com Jesus, nós somos salvos por aquilo que Deus fez com Seu Filho.

Pense nisto por um momento. Jesus está no madeiro, e Ele exclama: "Deus meu, Deus meu, por que me desamparaste?". Eu vejo tantos pregadores dizendo: "Deus Pai olhou para Seu Filho e, ao ver todas as feridas e sofrimentos, Ele deu as costas para Jesus, pois não aguentava mais ver aquilo". Isso não passa de uma mentira romântica! Não foi isso o que Jesus disse. O próprio Jesus testificou que o Pai O havia desamparado completamente, por causa do pecado que estava imputado sobre Si. Ele estava carregando o meu e o seu pecado, cristão. Ele se tornou o bode expiatório, Ele se tornou o verme, Ele se tornou a serpente levantada no deserto.

Veja o que o Salmo 22 diz sobre isso: "Deus meu, Deus meu, por que me desamparaste? Por que se acham longe de minha salvação as palavras de meu bramido? Deus meu, clamo de dia, e não me respondes; também de noite, porém não tenho sossego. Contudo, tu és santo..." (v. 1-3). Nos primeiros versos, Ele grita a Deus, e Sua queixa é: "Deus meu, Deus meu, por que me desamparaste?" Então Ele argumenta: "Nossos pais confiaram em ti; confiaram, e os livraste. A ti clamaram e se livraram; confiaram em ti e não foram confundidos" (v. 4-5). O argumento Dele é este: "Pai, nunca houve um momento na história do povo da aliança, Israel, no qual os homens clamaram a Ti e Tu os desamparaste, mas aqui estou eu, pendurado neste madeiro, o Teu único Filho, o Messias; por que me desamparaste?". E a resposta à Sua própria pergunta vem do contraste entre os versículos 3 e 6: "Tu és Santo... Mas eu sou verme".

Olhe para o jardim do Getsêmani por um momento. "Pai, passa de mim este cálice". Gotas de sangue, suor vindo de Sua testa. "Pai, passa de mim este cálice". Esses pregadores... Eles dizem: "Ah, Jesus não queria ir para aquela cruz romana". Isso é uma mentira! "Ah, Jesus estava com medo do diabo". Blasfêmia! "Ah, Jesus temia aquele chicote, Ele não queria ir para lá". Absurdo!

Deixe-me fazer-lhe uma pergunta. Depois da morte e ressurreição de Jesus Cristo, estima-se que 50 milhões de homens, mulheres e crianças morreram como mártires, por sua profissão de fé em Jesus Cristo. Na igreja primitiva, nos tempos dos puritanos e da Reforma, muitos dos seguidores de Jesus foram crucificados. Alguns foram não apenas crucificados, mas de cabeça para baixo. Outros eram cobertos de piche e lhes ateavam fogo para iluminar as ruas de Roma. Todavia, muitos desses seguidores de Jesus, prestes a serem martirizados, cantavam hinos cheios de alegria. Você realmente acredita que o Capitão de nossa Salvação está em um jardim, acovardado por causa da cruz, mesmo sabendo você que Seus discípulos foram para a mesma cruz com alegria nos corações? Você pensa que o Capitão de nossa Salvação seja tão fraco? Pense, homem! Jesus não estava com medo de uma cruz, de um prego, de uma lança ou de uma coroa de espinhos.

O que havia no cálice? Eu nunca esquecerei o dia em que preguei em uma escola teologicamente reformada, há muitos anos. Eu fui lá e disse: "Bom, vocês me chamaram aqui para pregar, estou aqui", e me informaram: "Você pregará no auditório, para pessoas que vão desde o Jardim de Infância ao Ensino Médio". Eu fiquei um tanto assustado: "Bom, eu vou ensinar sobre a propiciação. É uma faixa etária muito larga, não acha?". Eles disseram: "Isso não será problema, Sr. Washer". Então eu subi lá para pregar, e enquanto eu estava pregando, eu parei e disse: "O que havia no cálice? O que era aquilo que fez Cristo tremer?". Eu nunca me esquecerei daquela menininha de oito anos que ergueu a mão, levantou-se, ficou do lado da carteira e disse: "Sr. Washer, a ira de Deus estava no cálice". Sim! O ódio feroz de Deus contra tudo o que é mal estava no cálice.

Uma mísera cruz de madeira?

Todo homem está sob a feroz e justa ira de Deus por causa de sua perversidade, e alguém tinha que beber essa ira. Jesus Cristo, naquele madeiro, suportou a culpa de Seu povo e permaneceu no lugar de julgamento deles. Então, todo o ódio, toda a santidade, toda a ira, toda a justiça e todo o julgamento de Deus, como uma luz branca ofuscante, tudo aquilo veio esmagando a cabeça de Seu

Filho unigênito. Você nunca leu que "ao Senhor agradou moê-lo" (ou seja, "reduzi-lo a pó", cf. Is 53.10)?

Imagine, por um momento, uma represa de 10 mil quilômetros de altura e 10 mil quilômetros de largura, com você logo abaixo dessa coisa, a um quilômetro de distância da muralha. Então, de repente, em um único segundo, a muralha desaparece e toda aquela água desce esmagando você. Porém, milésimos de segundos antes de aquela força esmagadora chegar aos seus pés, o chão se abre e engole toda a água. Assim também a ira de Deus, destinada às pessoas, foi engolida pelo sacrifício de Cristo pouco antes de nos atingir. O Filho de Deus tomou aquele cálice da mão de Seu Pai e bebeu cada gota, de modo que, quando Ele gritou "Está consumado!" (Jo 19.30), Ele virou o cálice e nem uma gota caiu: Ele havia bebido tudo!

Se eu fosse resumir o que Deus fala no Antigo Testamento sobre o cálice da ira, seria algo assim: "Por causa da perversidade e da rebelião das nações, Eu os porei diante da força de minha ira, lhes entregarei meu cálice e os farei beber até que vacilem e morram". Mas, naquele madeiro, Cristo bebeu o cálice!

Todos nós sabemos que o povo judeu precisava constantemente cumprir vários rituais que apontavam para o sacrifício de Cristo. Um deles era o de Levítico 16, quando Arão levava dois bodes à porta da tenda da congregação. Em um dos bodes, eles colocavam a mão, transferindo simbolicamente os pecados do povo para a cabeça do animal, findando por sacrificá-lo. Em relação ao outro, o mesmo processo era feito, mas ele não era morto, e sim levado para fora dos portões do acampamento para vaguear no deserto e morrer: "Assim, aquele bode levará sobre si todas as iniquidades deles para terra solitária; e o homem soltará o bode no deserto." (Lv 16.22). Sobre isso, o escritor aos Hebreus explica que Jesus, como o bode, sofreu fora dos portões da cidade, abandonado por Deus e abandonado pelo povo, por ser o portador dos pecados.

No entanto, Este que era o portador de nossos pecados era também o *Triságio*, O Três-Vezes-Santo! Isaias descreve essa santidade em sua visão de Deus:

> *No ano da morte do rei Uzias, eu vi o Senhor assentado sobre um alto e sublime trono, e as abas de suas vestes enchiam o templo. Serafins estavam por cima dele; cada um tinha seis asas: com duas cobria o rosto, com duas cobria os seus pés e com duas voava. E clamavam uns para os outros, dizendo: Santo, santo, santo é o SENHOR dos Exércitos; toda a terra está*

*cheia da sua glória. As bases do limiar se moveram
à voz do que clamava, e a casa se encheu de fumaça.
(Is 6.1-4)*

Em seu Evangelho, João nos diz que o Deus que Isaías viu era o Filho de Deus (Jo 12.41). Isaías contemplou a Sua glória! Os maiores arcanjos no céu nem ao menos podem olhar para Ele por causa de Seu amor, Sua beleza e Sua pureza. Os serafins, no livro de Hebreus, são chamados de "labaredas de fogo" (Hb 1.7). Porém, eles não queimam pelo seu próprio combustível; eles são somente o reflexo do ardor da santidade do Filho de Deus, o reflexo de Sua beleza. Mesmo sendo tão grande e glorioso, mesmo com Seu manto enchendo tudo o que pode ser preenchido, mesmo com Sua glória sem medida enchendo tudo na terra, no céu e até mesmo no inferno – este Deus deixou o Seu trono e se tornou um homem, indo ao madeiro. "Aquele que não conheceu pecado, ele o fez pecado por nós; para que, nele, fôssemos feitos justiça de Deus" (2Co 5.21).

A lei diz: "Maldito todo aquele que não permanece em todas as coisas escritas no Livro da lei, para praticá-las" (cf. Gl 3.10). Você sabe o que significa ser maldito? É algo terrível. Se você olhar para todo o Antigo Testamento, você verá que isso é algo simplesmente horrível. Você deve passar noites e noites buscando meditar na Escritura para compreender a totalidade disso. E a Bíblia nos diz que, antes de sua conversão, você estava debaixo da própria maldição de Deus. Você sabe o que significa estar debaixo da maldição de Deus? Essa é a única maneira com que consigo definir: significa que o pecador é tão vil, tão doente, tão perverso e tão repugnante diante de Deus e dos céus, que a última coisa que esse pecador irá ouvir quando der o seu primeiro passo rumo ao inferno é toda a criação se prostrando e aplaudindo a Deus por ter o Senhor livrado a terra de uma praga como ele.

As Escrituras ainda nos dizem: "Cristo nos resgatou da maldição da lei" (Gl 3.13). Ele se tornou uma maldição por nós! Cristo se tornou uma maldição, um miserável, uma coisa vil. Como alguém consegue não chorar diante de algo como isso? Se você tem um coração tão duro que você sequer consegue se emocionar com isso, então chore pelo seu coração duro, para que Deus toque em você!

Você conhece a história de Abraão e seu filho. Deus lhe disse: "Toma teu filho, teu único filho, Isaque, a quem amas, e vai-te à terra de Moriá; oferece-o ali em holocausto, sobre um dos montes, que eu te mostrarei" (Gn 22.2). Abraão vai ao monte em obediência, amarra seu filho – e, ao que parece, Isaque não oferece resistência. O velho alcança a faca, pousa a mão sobre a testa de seu filho, e enquanto a mão vai abaixando, ele para. "O SENHOR Proverá" (Gn 22.14). E então – que história maravilhosa! – lá estava o animal preso pelos chifres no arbusto. Que lindo final para uma história! Porém, aquele não foi o final; foi o intervalo. Centenas de anos depois, em uma colina chamada Calvário, Deus Pai pousa Sua mão na cabeça de Seu Filho unigênito e O sacrifica.

Veja, essa é a cruz que todos esses pregadores modernos escondem no fundo do baú, ao invés de porem-na na mesa de centro, porque é uma coisa vergonhosa, horrenda e terrível. A cruz é uma coisa horrorosa e vil, não o tipo de coisa que você põe em volta do pescoço. Ela é símbolo de morte e de justiça sendo satisfeita. Para demonstrar amor, Deus teve de descartar o pecado antes, e só haveria uma forma de fazê-lo: a morte do Seu Filho unigênito. É possível que você, ao ler isto, esteja pensando: "Eu nunca ouvi nada assim antes!". É bem provável que de fato não tenha ouvido – e, se for, deve ser por isso que a cruz tem tão pouco poder em sua vida.

Eu quero que você entenda que é disso que se trata a vida cristã. Paulo diz em Romanos 12: "Rogo-vos", como um pastor rogaria a um rebanho amado, "que apresenteis o vosso corpo por sacrifício vivo, santo e agradável a Deus" (v. 1). Contudo, Paulo não só nos ordena isso, mas nos dá a motivação para tal. Ele diz para nós oferecermos nossas vidas baseados nas "misericórdias de Deus" (v. 1). E do que ele está falando? Ele está se referindo aos 11 primeiros capítulos de Romanos, nos quais ele havia explicado tudo o que Deus fez por nós em Cristo. Ou seja, o que Paulo diz é isto: "Visto que Deus fez tudo isso em Cristo, agora ofereçam suas vidas por Ele", de modo que, quanto mais você conhece acerca dessa cruz, mais você será inclinado a oferecer sua vida por Ele. Jesus não é esse pequeno acessório que você coloca em sua vida para torná-la melhor; Ele é *toda* a sua vida. Você é consumido por Ele em cada pensamento, julgamento ou palavra. Quando alguém perguntar: "Por que você faz isso ou aquilo, senhor?", nossa resposta precisa ser: "Porque Cristo derramou seu próprio sangue por minha alma!". O amor de Deus em Cristo nos constrange (2Co 5.14-15). Ele morreu! Estas palavras deveriam ser o suficiente para quebrar o seu coração em mil pedaços e jogá-lo ao chão em adoração:

*"Ofereça o sacrifício*
*– toda Criação faz o seu chamado.*
*Ofereça o sacrifício*
*– uma vida por todo o que tem pecado.*
*Ofereça o sacrifício*
*– o Inocente tem de ser morto pelos Seus.*
*Ofereça o sacrifício*
*– para trazer o Homem de volta a Deus."*

*Conclusão*

# ELE É O REI DA GLÓRIA

É verdade que Cristo morreu por nós, mas a Escritura nos diz que Ele não permaneceu morto. Não é apenas a morte de Cristo que nos salva: Sua ressurreição também tem um grande papel nessa história. Se Ele tivesse permanecido morto, não haveria nada. Não haveria qualquer esperança, tudo seria despedaçado. No entanto, Deus reivindicou Seu Filho unigênito, ressuscitando-O dentre os mortos; e, ao ressuscitá-Lo, Deus afixou Seu selo e declarou publicamente através da ressurreição de Jesus Cristo que o Seu sacrifício fora suficiente para expiar os pecados de Seu povo. Cristo morreu, Cristo ressurgiu dos mortos e Cristo ascendeu à destra de Seu Pai.

Os chamados "pais da Igreja", teólogos dos cinco primeiros séculos do Cristianismo, sempre usavam o *Salmo da Ascensão*, o Salmo 24, para descrever a subida de Jesus Cristo aos Céus – e é aqui que vamos finalizar:

> *Ao SENHOR pertence a terra e tudo o que nela se contém,*
> *o mundo e os que nele habitam.*
> *Fundou-a ele sobre os mares*
> *e sobre as correntes a estabeleceu.*
> *Quem subirá ao monte do SENHOR?*
> *Quem há de permanecer no seu santo lugar?*
> *O que é limpo de mãos e puro de coração,*
> *que não entrega a sua alma à falsidade,*
> *nem jura dolosamente.*
> *Este obterá do SENHOR a bênção*
> *e a justiça do Deus da sua salvação.*
> *Tal é a geração dos que o buscam,*
> *dos que buscam a face do Deus de Jacó.*
> *Levantai, ó portas, as vossas cabeças;*
> *levantai-vos, ó portais eternos,*
> *para que entre o Rei da Glória.*
> *Quem é o Rei da Glória?*
> *O SENHOR, forte e poderoso,*

> *o SENHOR, poderoso nas batalhas.*
> *Levantai, ó portas, as vossas cabeças;*
> *levantai-vos, ó portais eternos,*
> *para que entre o Rei da Glória.*
> *Quem é esse Rei da Glória?*
> *O SENHOR dos Exércitos,*
> *ele é o Rei da Glória.*

Como evangélicos, nós estamos constantemente defendendo a deidade de Jesus Cristo – e isso é ótimo. Jesus Cristo é Deus no mais pleno sentido do termo. Porém, nunca devemos esquecer que Jesus Cristo também se tornou homem no mais pleno sentido do termo. "Porquanto há um só Deus e um só Mediador entre Deus e os homens, Cristo Jesus, homem" (1Tm 2.5). Um homem pecou. Uma raça de homens caiu. Um homem deve morrer. E um homem deve ressurgir dos mortos. E aquela muito aguardada oração de Jó deve ser respondida (cf. Jó 19.25).

Charles Spurgeon nos diz que uma escada que apenas sobe não é boa, e uma escada que apenas desce não nos será de nenhuma ajuda. Precisamos de uma escada que suba e desça, precisamos de um Salvador que seja Deus e homem – e aquele Deus-Homem, Cristo Jesus, ressurgiu dos mortos e, após 40 dias, ascendeu à destra de Seu Pai, fazendo com que pela primeira vez, em toda a história da criação, um homem subisse às portas dos céus, clamando o que encontramos no versículo 7: "Levantai, ó portas, as vossas cabeças; levantai-vos ó portais eternos, para que entre o Rei da Glória".

Então, todo o céu atrás daquelas portas entra em estado de choque, em silêncio e espanto. Finalmente, um corajoso levanta a cabeça e pergunta: "Quem é este Rei da Glória? Quem se atreve a falar com estes portais? Nenhum homem jamais chegou até aqui ou pôs a mão no trinco deste portão. Quem é este Rei da Glória?".

De repente, o Senhor, o Messias, o Cristo, o Filho de Deus, o Homem, clama: "O SENHOR, forte e poderoso, o SENHOR, poderoso nas batalhas. Levantai, ó portas, as vossas cabeças; levantai-vos, ó portais eternos, para que entre o Rei da Glória".

E, pela primeira vez em todos os tempos, aqueles portais se abriram para um homem! Ele atravessa aqueles portais e tudo o que já foi criado cai de rosto no chão: "Todos aclamem o poder do nome de Jesus! Que os querubins se curvem e O coroem com muitas coroas!".

*Pelo poder que há no Nome divinal,*
*que os anjos se prostrem num segundo;*
*ergam diante Dele o diadema real*
*e O coroem Rei e Senhor de tudo.*[10]

Então, o Cordeiro vai em direção ao Trono. Eu posso vê-Lo agora, caminhando ousadamente em direção ao Pai, segundo o Seu direito como Deus-Homem, subindo os degraus deste Trono tão glorioso que faria o trono de Salomão parecer feito de papel machê. Ele se senta, sem sequer pedir permissão, e olha para o Pai – não com uma pergunta, mas com uma afirmação: "Pai, está consumado", e o Pai assente: "Sim, Filho, está consumado". "Este Jesus, que vós crucificastes, Deus o fez Senhor e Cristo" (At 2.36).

Não pense que eu vou pedir para que você torne Jesus Senhor da sua vida; essa é a coisa mais ridícula que eu poderia pedir para você fazer. Jesus Cristo já é o Senhor da sua vida, quer você O sirva ou não, quer você O bendiga, amaldiçoe, odeie, ou ame; de qualquer modo, Ele é o Senhor de sua vida, porque Deus deu a Ele um nome

---

10 *All Haill the power of Jesus' Name*, de Edward Perronet, escrito em 1779.

que é sobre todo nome, para que ao nome de Jesus Cristo todo joelho se dobre e toda língua confesse que Ele é o Senhor (Fp 2.9-11). Alguns de vocês se curvarão por causa da graça que lhes foi dada, e outros se curvarão porque as rótulas de seus joelhos serão quebradas por Aquele que governa as nações com bordão de ferro (Sl 2.9).

Se alguém ficar ofendido com estas verdades, eu não vou me desculpar por apresentar o Deus da Bíblia. Eu venho de uma longa linhagem de homens, a maioria já enterrados, mas todos bem recebidos na glória, que não pensam nas opiniões de homens ou no caminho que o resto dos evangélicos irá percorrer. Eu quero que você saiba que há um Deus no céu que é digno de todo louvor, glória e honra, e que Ele exige isso de você.

Ao entrar pelos portões eternos, Ele tornou possível que você venha a Deus. Quando o salmista pergunta: "Quem subirá ao monte do SENHOR? Quem há de permanecer no seu santo lugar?", a resposta correta seria: "Nenhum de nós!". Porém, agora que Cristo está no Seu Trono, nós possuímos a Sua justiça e somos conclamados a permanecer neste lugar de adoração. Ele clama: "Ah! Todos vós, os que tendes sede, vinde às águas; e vós, os que não tendes dinheiro, vinde, comprai e comei; sim, vinde e comprai, sem dinheiro e sem preço, vinho e leite. Por que gastais o dinheiro naquilo que não é pão, e o vosso suor, naquilo que não satisfaz?" (Is 55.1-2). "Vinde e bebei de mim", Ele diz, "vinho e leite!". Baseado nas bênçãos de Davi, Ele promete nos tratar bem: "Porque os meus pensamentos não são os vossos pensamentos, nem os vossos caminhos, os meus caminhos" (Is 55.8). "Tão alto quanto a semente cresce por causa da água que lhe é jogada, a minha palavra não falhará", diz o Senhor. Ele ordena que todos, em todo lugar, se arrependam de seus pecados e creiam no evangelho. Procurem-No enquanto Ele ainda pode ser achado.

Se, ao ler tudo o que foi dito aqui, você perguntar: "Irmão Paul, eu posso ser salvo?", minha sincera resposta será: "Eu não sei. Contudo deixe-me dizer-lhe algo. Talvez você tenha aberto este livro porque ele foi o presente de algum amigo e você o leu com dificuldade, esperando que isto acabasse logo. Você leu com a mente vagando, sem muita atenção, de modo que Cristo não significa nada para você, nada mais do que quando você começou a lê-lo. Então, minha resposta é 'não', você não pode ser salvo – pelo menos, não agora, porque você não tem arrependimento em seu coração, nenhum quebrantamento quanto ao pecado ou quanto ao preço que foi pago por você, para que você pudesse viver".

Porém, se você disser: "Irmão Paul, eu comecei a ler sem nenhuma intenção de aprender algo, mas, durante a leitura, Deus tomou meu coração e eu comecei a pensar sobre coisas eternas. E, enquanto lia o evangelho sendo exposto, eu fiquei ciente de meu pecado e de minha perversidade diante de um Deus santo. Então, ao ler sobre Cristo, meu coração saltou de alegria, de modo que pude dizer a mim mesmo: 'Eu sou a mais perversa das criaturas! Será que há alguma esperança para mim?'". Sim, há esperança para você! Você tem as sementes do arrependimento em seu coração. Agora, falta-lhe uma coisa: creia no Senhor Jesus Cristo e você será salvo, pois todos aqueles que invocam o nome do Senhor serão salvos (Rm 10.13); e, de todos aqueles que creram Nele, nenhum deles foi confundido ou desapontado (Rm 10.11). No entanto, saiba disto: o relógio está andando, o tempo está voando e a morte e o inferno estão se movendo. Cristo irá retornar e então será tarde demais!

Algumas pessoas me dizem: "Eu não penso muito sobre a vinda de Jesus. Creio que Ele não retornará nos próximos mil anos". Realmente, talvez Ele não volte em milhares de anos, mas certamente dentro de 25, 50 ou 60 anos você irá encontrá-Lo. Se você vai até Ele ou se Ele vem até você, não fará diferença: você irá vê-Lo de qualquer modo. Você ficará diante Dele, e quando isso acontecer, será tanto maravilhoso quanto absolutamente aterrorizante. Como um pregador certa vez disse: "Eu tenho uma boa e uma má notícia: a boa notícia é que Deus está aqui, a má notícia é que Deus está aqui. Tudo depende de em qual lado da linha você está". Ele virá, Ele irromperá do céu, e os maiores e mais poderosos homens e todos os seus exércitos clamarão às montanhas para que os enterrem, apenas por causa de um vislumbre Daquele que monta o grande cavalo branco.

Você precisa entender que o poder de Deus é tal que Ele está assentado sobre todas as coisas com absoluta soberania, de modo que, se todo o universo criado – com anjos e homens, demônios e diabos, principados e potestades – se voltasse contra Ele para lutar, eles não teriam mais força do que se o mais fraco deles se levantasse sozinho contra o Senhor. Eles não teriam mais força do que um ácaro batendo em sua cabeça com um pedaço de pedra. Você será julgado e, se seu nome não estiver escrito no livro da vida do Cordeiro, você será encontrado insuficiente e será jogado no inferno. E não engula esta bobagem de que o céu é céu porque Deus está lá e o inferno é inferno porque Deus não está lá. Esqueça essa bobagem, meu amigo. O inferno é o inferno porque Deus está lá! O inferno é a pura e flamejante ira e justiça de Deus. Você nunca leu que a fumaça de seu tormento sobe na presença do Cordeiro (Ap 14.10-11)? Não é o diabo que governa o inferno; é Deus quem governa o inferno.

Se, após ler tudo isto, você diz: "Eu nunca ouvi tal coisa", esse é um grande problema que precisa ser solucionado. Arrependa-se e creia no evangelho. O melhor que eu posso fazer por você agora é desviá-lo dos homens e direcioná-lo a Deus. Busque ao Senhor até que Ele tenha salvado você. Busque ao Senhor, clame por Ele e creia Nele. Contudo saiba disto: se hoje algo acontecer na sua vida e você acreditar que Deus o salvou, saiba que apenas este momento não é suficiente para que você tenha segurança de que Deus o salvou. Se você acha que Deus o salvou hoje, mas você não começa a mudar, não começa a crescer em graça, não começa a crescer nas coisas de Deus e não continua a andar com Ele, mas se afasta como tantos outros, você não obteve nada aqui hoje. A evidência de sua salvação não é que um dia em sua vida você fez uma oração após ler um livro. A evidência de sua salvação é que você continua caminhando com Ele, porque Aquele que começa a boa obra em você certamente a termina (Fp 1.6).

*Apêndice 1*
# UM MODELO DE PREGAÇÃO DO EVANGELHO

O que segue é um breve folheto evangelístico disponibilizado pela *HeartCry*, usado para confrontar a pessoa evangelizada com a natureza de Deus, o pecado do homem e a fé que salva. Este é um bom modelo a se decorar e seguir para auxiliar na pregação do verdadeiro evangelho.

## O CARÁTER DE DEUS
*A Santidade de Deus*

> "Tu és tão puro de olhos, que não podes ver o mal e a opressão não podes contemplar" (Hc 1.13)

> "Mas as vossas iniquidades fazem separação entre vós e o vosso Deus; e os vossos pecados encobrem o seu rosto de vós, para que vos não ouça." (Is 59.2)

## A Justiça de Deus

> "Porque o SENHOR é justo, ele ama a justiça; os retos lhe contemplarão a face." (Sl 11.7)

> "Mas o SENHOR dos Exércitos é exaltado em juízo; e Deus, o Santo, é santificado em justiça." (Is 5.16)

> "Deus é justo juiz, Deus que sente indignação todos os dias. Se o homem não se converter, afiará Deus a sua espada; já armou o arco, tem-no pronto" (Sl 7.11-12)

## A DEPRAVAÇÃO E A CONDENAÇÃO DO HOMEM

> "Pois todos pecaram e carecem da glória de Deus" (Rm 3.23)

> "Mas todos nós somos como o imundo, e todas as nossas justiças, como trapo da imundícia" (Is 64.6)

> *"Todos quantos, pois, são das obras da lei estão debaixo de maldição; porque está escrito: Maldito todo aquele que não permanece em todas as coisas escritas no livro da lei, para praticá-las." (Gl 3.10)*

## O Grande Dilema

> *"O que justifica o perverso e o que condena o justo abomináveis são para o SENHOR, tanto um como o outro." (Pv 17.15)*

> *"Longe de ti o fazeres tal coisa, matares o justo com o ímpio, como se o justo fosse igual ao ímpio; longe de ti. Não fará justiça o Juiz de toda a terra?" (Gn 18.25)*

## A Ação de Deus

Enquanto mantém Sua santidade e Sua justiça, a Bíblia afirma também que Deus é amor, e que em amor Ele respondeu ao apuro do homem.

### Motivado por Amor

> *"Aquele que não ama não conhece a Deus, pois Deus é amor. Nisto se manifestou o amor de Deus em nós:*

*em haver Deus enviado o seu Filho unigênito ao mundo, para vivermos por meio dele. Nisto consiste o amor: não em que nós tenhamos amado a Deus, mas em que ele nos amou e enviou o seu Filho como propiciação pelos nossos pecados."* (1Jo 4.8-10)

## A Cruz de Cristo

*"pois todos pecaram e carecem da glória de Deus, sendo justificados gratuitamente, por sua graça, mediante a redenção que há em Cristo Jesus, a quem Deus propôs, no seu sangue, como propiciação, mediante a fé, para manifestar a sua justiça, por ter Deus, na sua tolerância, deixado impunes os pecados anteriormente cometidos; tendo em vista a manifestação da sua justiça no tempo presente, para ele mesmo ser justo e o justificador daquele que tem fé em Jesus."* (Rm 3.23-26)

## A Ressurreição

*"[Ele] foi entregue por causa das nossas transgressões e ressuscitou por causa da nossa justificação."* (Rm 4.25)

## A Reação do Homem

*Arrependimento* começa com o reconhecimento e a confissão de que o que Deus diz sobre nós é verdade – nós pecamos.

> *"Pois eu conheço as minhas transgressões, e o meu pecado está sempre diante de mim. Pequei contra ti, contra ti somente, e fiz o que é mau perante os teus olhos, de maneira que serás tido por justo no teu falar e puro no teu julgar." (Sl 51.3-4)*

Um reconhecimento genuíno da nossa corrupção e da nossa culpa nos levará também a um sofrimento genuíno, vergonha e até mesmo ódio por aquilo que fizemos.

> *"Porque nem mesmo compreendo o meu próprio modo de agir, pois não faço o que prefiro, e sim o que detesto." (Rm 7.15)*

> *"Desventurado homem que sou! Quem me livrará do corpo desta morte?" (Rm 7.24)*

Apenas uma sinceridade aparente na confissão nunca é evidência definitiva de um genuíno arrependimento.

A sinceridade deve ser acompanhada de um afastamento do pecado.

> *"Lavai-vos, purificai-vos, tirai a maldade de vossos atos de diante dos meus olhos; cessai de fazer o mal." (Is 1.16)*

> *"Toda árvore, pois, que não produz bom fruto é cortada e lançada ao fogo." (Mt 3.10)*

## A FÉ
*Definição de fé*

> *"Ora, a fé é a certeza de coisas que se esperam, a convicção de fatos que se não veem." (Hb 11.1)*

> *"...estando plenamente convicto de que ele era poderoso para cumprir o que prometera." (Rm 4.21)*

*Fé Baseada nas Promessas de Deus*

> *"Porque Deus amou ao mundo de tal maneira que deu o seu Filho unigênito, para que todo o que nele crê não pereça, mas tenha a vida eterna." (Jo 3.16)*

> *"Crê no Senhor Jesus e serás salvo" (At 16.31)*

*Um exemplo de crente*

> *"...nós que adoramos a Deus no Espírito, e nos gloriamos em Cristo Jesus, e não confiamos na carne..." (Fp 3.3)*

## A Base da Segurança Genuína
*Verdadeira Conversão*

Um verdadeiro cristão é uma nova criatura e viverá uma vida que reflita a obra radical de Deus em recriar sua vida.

> *"E, assim, se alguém está em Cristo, é nova criatura; as coisas antigas já passaram; eis que se fizeram novas." (2Co 5.17)*

> *"Pelos seus frutos os conhecereis. Colhem-se, porventura, uvas dos espinheiros ou figos dos abrolhos?" (Mt 7.16)*

A *Segurança* é baseada em um autoexame à luz da Escritura.

> "Examinai-vos a vós mesmos se realmente estais na fé; provai-vos a vós mesmos. Ou não reconheceis que Jesus Cristo está em vós? Se não é que já estais reprovados." (2Co 13.5)

> "Estas coisas vos escrevi, a fim de saberdes que tendes a vida eterna, a vós outros que credes em o nome do Filho de Deus." (1Jo 5.13)

## TESTE DE SEGURANÇA BÍBLICA

1João 1.5-7 (Andar na Luz), 1João 1.8-10 (Confissão de Pecados), 1João 2.3-4 (Obediência), 1João 2.9-11 (Amor pelos Irmãos), 1João 2.15-17 (Ódio pelo Mundo), 1João 2.24-25 (Perseverança na Doutrina), 1João 3.10 (Justiça), 1João 4.13 (Testemunho do Espírito), Hebreus 12.5-8 (Disciplina).

*Apêndice 2*
# Biografia do Autor

Paul Washer foi dramaticamente convertido enquanto estudava direito na Universidade do Texas, deixando para trás uma vida de devassidão. Ele completou seus estudos de graduação e se matriculou no *Southwestern Baptist Theological Seminary* (Seminário Teológico Batista do Sudoeste), onde obteve sua formação teológica (M. Div.).

Após concluir seus estudos, mudou-se para o Peru e lá serviu como missionário por 10 anos, período durante o qual fundou a Sociedade Missionária *HeartCry* para apoiar peruanos plantadores de igreja. O trabalho da *HeartCry* suporta atualmente mais de 100 missionários nativos (oriundos da própria nação) em mais de 20 países na Europa Oriental, América do Sul, África, Ásia e Oriente Médio.

Washer frequentemente cita como suas maiores influências homens como Thomas Watson, R.C. Sproul, John MacArthur, George Muller, John Piper, Jonathan Edwards, George Whitefield, Charles Spurgeon, Leonard Ravenhill, John Wesley, A.W. Tozer e Martyn Lloyd-Jones, entre outros.

Hoje, Paul é membro da Convenção Batista do Sul, servindo como um dos obreiros da Sociedade Missionária *HeartCry* e como pregador ao redor do mundo. As centenas de gravações de suas mensagens têm alcançado pessoas de todo o mundo e transformado um número imensurável de vidas e igrejas. Washer também mantém a Revista *HeartCry*, que já chegou à marca de 70 edições, e escreveu vários livros para estudos bíblicos, como *O único Deus verdadeiro*, *The truth about man* e *The gospel of our salvation*. Ele e sua esposa Charo moram nos Estados Unidos, em Radford, Virginia, e possuem três filhos: Ian, Evan e Rowan.

# Referências

*As maiores palavras das Escrituras*. Sermão pregado em 30 de setembro de 2007 na "True Disciplies Conference". Disponível em: <http://voltemosaoevangelho.com/blog/2012/04/paul-washer-as-maiores-palavras-das-escrituras-pregacao-completa/>.

*Basic Christianity*. Sermão pregado em 21 de fevereiro de 2010. Disponível em: <http://www.sermonaudio.com/sermoninfo.asp?SID=22310205797>.

*Cameron Buettel interviews Paul Washer*. Entrevista realizada em 23 de julho de 2009. Disponível em: <http://www.sermonaudio.com/sermoninfo.asp?SID=723091214300>.

*Defendiendo el evangelio*. Sermão pregado em 10 de outrubro de 2009 na "Conferencia Misionera Enero". Disponível em: <http://www.sermonaudio.com/sermoninfo.asp?SID=1010091252530>.

*Dez acusações contra a igreja moderna*. Sermão pregado em 22 de outubro de 2008 na "Conferência sobre Avivamento", em Atlanta, Geórgia, EUA. Disponível em: <http://voltemosaoevangelho.com/blog/2011/09/paul-washer-10-acusacoes-contra-a-igreja-moderna-pregacao-completa/>.

*Gospel of our salvation*. E-book. Disponível em: <http://donors.heartcrymissionary.com/home-mainmenu-1/ebooks/5-gospel-of-our-salvation/>.

*One of the most important passages of Scripture*. Sermão pregado em dezembro de 2009 na "Grace Fellowship", Inglaterra. Disponível em: <http://vimeo.com/15544198>.

*Recovering the gospel of Jesus Christ:* part 1. Sermão pregado em 16 de outubro de 2010 em "Virginia Tech". Disponível em: <http://vimeo.com/16895195>.

*Recovering the gospel of Jesus Christ:* part 2. Sermão. Disponível em: <http://vimeo.com/16895195>.

*Testimonio & elevangelio*. Sermão pregado em 2010 no acampamento de jovens da FIEIDE. Disponível em: <http://vimeo.com/11686236>.

# Referências

*The Acropolis of the Christian faith*. Sermão pregado em 13 de novembro de 2007 na "First Baptist Church Powell". Disponível em: <http://www.sermonaudio.com/sermoninfo.asp?SID=1113072055240>.

*The biblical gospel & evangelismo*. Sermão pregado em 7 de agosto de 2009. Disponível em: <http://www.sermonaudio.com/sermoninfo.asp?SID=87091114140>.

*The depth of the gospel:* part 1. Sermão pregado em 15 de novembro de 2010. Disponível em: <http://www.sermonaudio.com/sermoninfo.asp?SID=1611117171>.

*The depth of the gospel:* part 2. Sermão pregado em 17 de novembro de 2010. Disponível em: <http://www.sermonaudio.com/sermoninfo.asp?SID=16111113482>.

*The gospel of Jesus Christ*. Sermão pregado em 3 de abril de 2011. Disponível em: <http://vimeo.com/34519947>.

*The gospel of Jesus Christ*. Sermão pregado em 5 de maio de 2012 na "S.N.E. Reformation Conference". Disponível em: <http://www.sermonaudio.com/sermoninfo.asp?SID=55122332472>.

*The gospel of propitiation*. Sermão pregado em 1 de outubro de 2008. Disponível em:<http://www.sermonaudio.com/sermoninfo.asp?SID=101081446290>.

*The gospel*. Disponível em: <http://www.youtube.com/watch?v=cqbPaXhK4Zw>.

*The gospel:* the most terrifying truth of Scripture. Gravado pela "Crown Rights Media". Disponível em: <http://vimeo.com/33408150>.

*The heart of the gospel.* Sermão pregado em 12 de outubro de 2009 na "Springfield Conference". Disponível em: <http://www.sermonaudio.com/sermoninfo.asp?SID=101209856550>.

*The lost gospel.* Sermão pregado em 20 de novembro de 2009 na "Revival Conference". Disponível em: <http://www.sermonaudio.com/sermoninfo.asp?SID=1120091721374>.

*The motive for the Son's delight in the earth.* Ensino sobre o e-book "The gospel of our salvation". Disponível em: <http://vimeo.com/5399362>.

*The problem of a good God.* Disponível em: <http://www.sermonaudio.com/sermoninfo.asp?SID=4511122012>.

*The true gospel.* Participação no programa de rádio "Crosstalk America", em 25 de agosto de 2011. Disponível em: <http://www.sermonaudio.com/sermoninfo.asp?SID=82611110030843>.

*The true gospel.* Disponível em: <http://www.sermonaudio.com/sermoninfo.asp?SID=10710152021>.

*World Impact Conference:* part 2. Sermão pregado em 2006 na "SMBC Conference". Disponível em: <http://www.sermonaudio.com/sermoninfo.asp?SID=102081238322>.

O Ministério Fiel tem como propósito servir a Deus através do serviço ao povo de Deus, a Igreja.

Em nosso site, na internet, disponibilizamos centenas de recursos gratuitos, como vídeos de pregações e conferências, artigos, e-books, livros em áudio, blog e muito mais.

Oferecemos ao nosso leitor materiais que, cremos, serão de grande proveito para sua edificação, instrução e crescimento espiritual.

Assine também nosso informativo e faça parte da comunidade Fiel. Através do informativo, você terá acesso a vários materiais gratuitos e promoções especiais exclusivos para quem faz parte de nossa comunidade.

Visite nosso website

# www.ministeriofiel.com.br

e faça parte da comunidade Fiel

O ministério Voltemos ao Evangelho nasceu com o grandioso intuito de proclamar o único e verdadeiro Evangelho, chamando a nação brasileira a voltar à centralidade da glória de Deus na face de Cristo e ao fundamento das Escrituras.

Disponibilizamos material multimídia, textos e vídeos gratuitos, sem restrição quanto ao uso pessoal ou ministerial, a fim de que Deus seja glorificado e a Igreja de Cristo, edificada.

Para mais informações, acesse

# www.voltemosaoevangelho.com